Vélo
de montagne

Vélo de montagne

Susanna & Herman Mills

97-B, Montée des Bouleaux
Saint-Constant, Qc, J5A 1A9
Tél. : 450 638-3338 Téléc. : 450 638-4338
www.broquet.qc.ca / info@broquet.qc.ca

Catalogage avant publication de Bibliothèque et Archives Canada

Mills, Susanna

Vélo de montagne

(Sport aventure)
Traduction de: Mountain biking.
Comprend un index.

ISBN 978-2-89000-840-3

1. Vélo tout terrain (Sport). I. Mills, Herman. II. Titre.
III. Collection.

GV1056.M5514 2007 796.63 C2006-942192-7

POUR L'AIDE À LA RÉALISATION DE SON PROGRAMME ÉDITORIAL, L'ÉDITEUR REMERCIE:
Le Gouvernement du Canada par l'entremise du Programme d'Aide au Développement de l'Industrie de l'Édition (PADIÉ); La Société de Développement des Entreprises Culturelles (SODEC); L'Association pour l'Exportation du Livre Canadien (AELC).
Le Gouvernement du Québec - Programme de crédit d'impôt pour l'édition de livres Gestion SODEC.

Titre original: Mountain Biking

Suivi éditorial pour l'édition française: Myriam Weber
Traduction: Anne-Sylvie Labé, Blandine Pélissier
PAO: Isabelle Véret
Consultant technique: Jean-Paul Hosotte

Dépôts légal - Bibliothèque nationale du Québec
1er trimestre 2007

ISBN 978-2-89000-840-3

Remerciements de l'éditeur
L'éditeur voudrait remercier le photographe principal, Jacques Marais, et les personnes et les institutions qui ont offert leur soutien: Gui Gouws, Indola Apparel, Hopkins Cycle Inn, l'Institut de la science du sport (Cape Town), Dirtopia (Greyton) et l'office du tourisme de Montagu.

Remerciements des l'auteurs

« Le cœur de l'homme médite sa voie, mais c'est l'Éternel qui dirige ses pas. »

Nous voudrions dédier ce livre à nos parents, Justinus et Embrencia Mills, et Kenneth et Betty Morrison, qui nous ont donné confiance en nous et nous ont armés pour la vie. Maintenant que nous sommes parents à notre tour, nous vous apprécions encore plus ! Nous voulons également remercier Ian Martin, scientifique du sport, spécialiste de l'entraînement et routier, pour sa contribution au chapitre V. Nous aimerions bien sûr remercier aussi l'équipe de la rédaction et de la conception de Struik New Holland, qui nous a aidés à faire de notre manuscrit un livre remarquable. À eux et à tous ceux qui ont collaboré, nos plus sincères remerciements.

Sommaire

Introduction

Quelle que soit votre motivation, la richesse et la diversité de la pratique du vélo de montagne peuvent répondre à bon nombre de vos besoins.

Comment tout a commencé

C'est en Californie, au début des années 70, qu'est né le vélo de montagne, et beaucoup considèrent Tamalpais (ou mont Tam comme on l'appelle) comme son berceau. Des milliers de passionnés sont allés sur cette montagne magique « rendre hommage » aux pionniers qui ont eu l'idée de braver l'opinion courante sur le cyclisme. Ces précurseurs ont transformé de vieux vélos de route à gros pneus en engins capables de rouler sur tous les terrains, et des hommes comme Gary Fisher, Charlie Cunningham, Keith Bontrager, Tom Ritchey sont considérés comme les pères fondateurs de ce sport. Au départ, ils transportaient leurs vélos en camions, en haut de la montagne, et dévalaient ensuite les pentes. Pour freiner, ils utilisaient des freins à rétropédalage, et, dans la descente, ces freins chauffaient tellement que la graisse fondait et que le moyeu arrière devait être graissé de nouveau pour la prochaine descente. Ces lourds vélos « rétro » étaient des antiquités à une seule vitesse sur lesquels on avait adapté des pièces de moto et de vélomoteur. Les cyclistes se sont bientôt dit que, pour mieux savourer la descente, il fallait la mériter en grimpant d'abord la côte. Il a donc fallu fabriquer des vélos dotés de nombreuses vitesses.

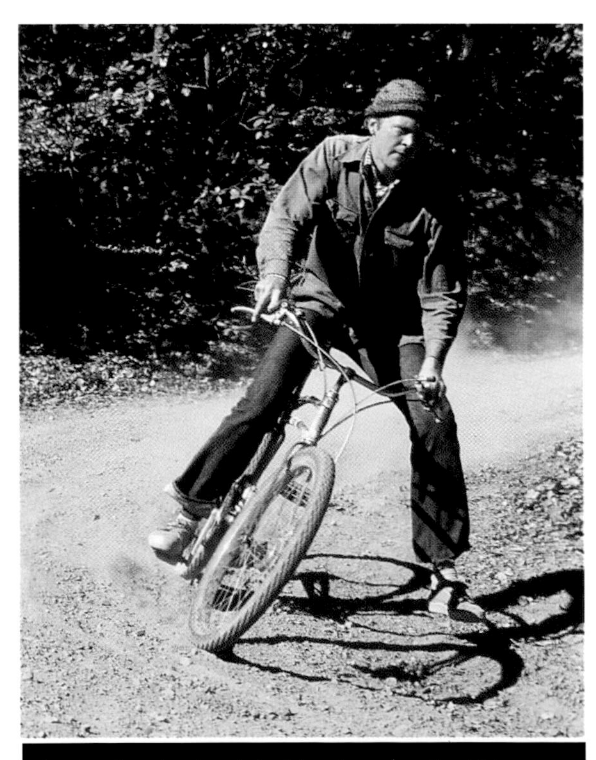

Les premiers pionniers du tout-terrain, comme Gary Fisher, ont eu l'idée et la détermination de changer les idées préconçues sur le cyclisme.

Au fur et à mesure que ce sport se popularisait, les fabricants de pièces de vélo commencèrent à s'y intéresser. Aujourd'hui, les vélos de montagne se vendent mieux que les vélos de route, dans la proportion de 5 pour 1. Les vélos vélo de montagne ont bien changé depuis les années 70, et l'on peut acheter aujourd'hui des vélos à double suspension, de qualité supérieure, avec des freins à disque et des éléments en alliages rares, légers mais solides, et relativement bon marché par rapport aux vélos de route.

Les organisateurs ont tendance à être souples avec les quelques règles qui existent. Bien que le fossé se soit tellement élargi, il est toujours possible pour les amateurs de côtoyer les professionnels dans certaines courses.

À l'avenir, une spécialisation toujours plus poussée des pilotes de haut niveau affinera encore les performances. Cela entraînera en retour un perfectionnement des pièces, qui rejaillira sur l'équipement courant.

CI-CONTRE : Quand vous commencez à pratiquer régulièrement le vélo de montagne, chaque sortie est une aventure.

S'équiper

Bien que les vélos de montagne soit les descendants des vélos de route à gros pneus en vogue dans les années 60, leur évolution a été si rapide que, dans certains cas, les perfectionnements dans le domaine de la technologie des vélos de montagne ont dépassé ceux de la formule 1.

Des cadres de haute technologie

Un cadre de vélo doit être capable de résister à une grande diversité de tensions de différentes natures. Le freinage, le pédalage et les cahots du terrain font partie de ces forces qui agissent sur le cadre. Les matériaux utilisés, la conception et l'assemblage sont donc des éléments fondamentaux pour la fabrication d'un vélo fonctionnel.

Les alliages d'aluminium

Les fabricants de tubes utilisent plusieurs sortes d'alliages d'aluminium, et les noms de Easton Aluminium, Alpha, Columbus et Reynolds sont synonymes de ces tubes. La plupart des constructeurs de cycles font fabriquer des tubes selon leur propre cahier des charges. Des cadres en aluminium correctement conçus offrent des avantages importants, comme un poids et un coût moindres, ainsi qu'une bonne résistance à la corrosion. Ils sont aussi faciles à fabriquer car les tubes peuvent être dessinés, assemblés et habillés de presque n'importe quelle façon. Le cadre complet offre généralement une rigidité de qualité supérieure qui est primordiale dans la construction de vélos avec suspension intégrale. Cela est d'autant plus vrai lorsqu'on utilise des tubes de diamètre surdimensionné.

Les matériaux composites

Les matériaux composites, comme le carbone et le Kevlar, se sont révélés très efficaces tant pour le cadre que pour d'autres pièces. L'avantage principal pour le constructeur est de pouvoir utiliser les matériaux bruts de façon à répondre à des besoins spécifiques. Ce procédé permet aussi d'obtenir un cadre remarquablement léger et, comme il est moulé en une seule pièce, les contraintes habituelles imposées par la qualité des soudures n'existent plus. Les cadres peuvent être fabriqués à la taille et à la forme que le concepteur désire. Le plus grand inconvénient des cadres en matériaux composites est toutefois qu'il est impossible de les réparer, et qu'ils sont susceptibles de se détériorer s'ils sont mis en contact avec des produits chimiques comme des solvants ou des acides. Certains procédés de fabrication, comme celui qui sert à réaliser l'OCLV (Optimum Compaction Low Void) de Trek, peuvent être extrêmement sophistiqués. Bien que coûteux, un cadre en carbone reste tout à la fois solide et léger.

Les cadres « nouvelle génération »

La tendance actuelle est à la construction de cadres en différents matériaux. Cannondale, par exemple, utilise un endosquelette d'aluminium avec un exosquelette en

Pourquoi et quand faut-il changer de vélo ?

Tout dépend de la fréquence à laquelle vous utilisez votre vélo et ce à quoi vous l'employez. Si vous êtes un passionné de vélo de montagne ce sport vous procure beaucoup de plaisir et un sentiment de plénitude, vous serez peut-être désireux d'acheter le meilleur matériel possible pour pousser plus loin cette expérience. Si vous êtes tenté par la compétition, il vous faudra non seulement avoir une bonne condition physique mais aussi du matériel performant.

Descente ou cross ? Endurance ou prouesses techniques ? Avant d'acheter un vélo et ses accessoires, décidez d'abord de ce que vous allez en faire.

carbone. Raleigh a construit des vélos avec des tubes en carbone collés à des pattes en titane. Les cadres en carbone, avec du métal alvéolé entre les couches de carbone, sont légers, solides et d'un prix abordable.

L'acier

On utilise l'acier pour la plupart des vélos ordinaires, alors que le chrome-manganèse et le chromoly sont utilisés en format butted sur certains vélos de haut de gamme. Bien qu'il ne soit pas à la mode, l'acier offre encore des caractéristiques uniques. Un vélo en acier semble vivant; avec sa capacité spécifique d'absorption des chocs et son rapport exceptionnel robustesse/poids, il ne trouve comme rivaux, dans certains cas, que les alliages de titane. Autre avantage : l'acier se répare facilement.

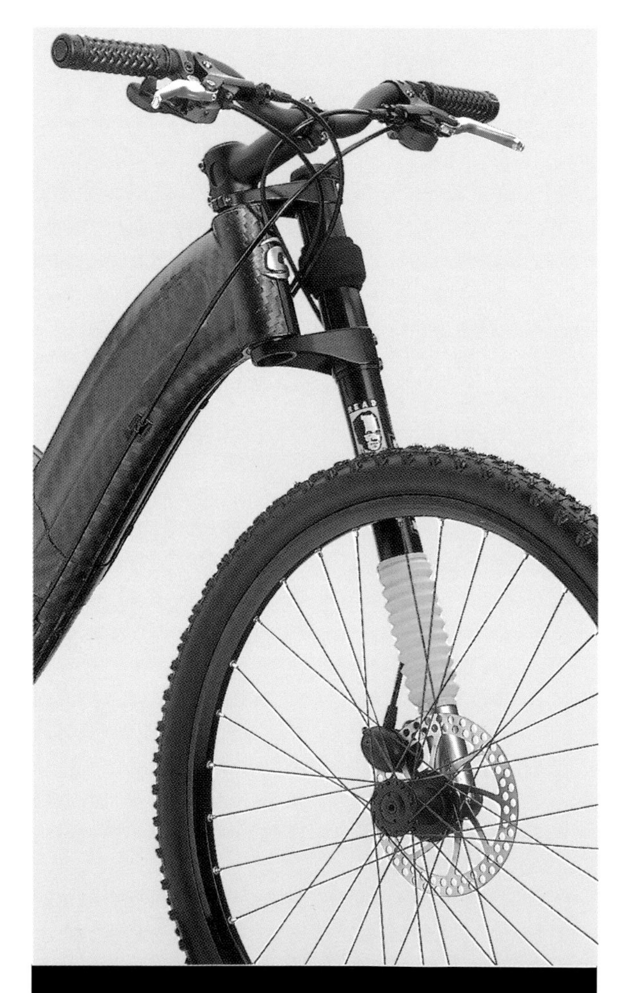

Le vélo de montagne d'aujourd'hui est le résultat des dernières avancées technologiques: par exemple, la singulière fourche monobras de Cannondale.

Le titane

Le titane est souvent un matériau de choix pour obtenir des cadres légers et de qualité supérieure. Le titane, non content d'être meilleur que le meilleur des alliages d'acier, est également résistant à l'usure et à la corrosion et donne un cadre résolument high-tech. Ces cadres sont assez chers mais extrêmement solides.

L'anatomie d'un vélo de montagne

Un vélo de montagne moderne est conçu pour supporter les chocs du cyclisme tout-terrain.

Le cadre et le cintre

Pour un maniement plus aisé, la géométrie du cadre du vélo de montagne est légèrement différente. Il faut que, pour un même cycliste, le cadre soit plus petit que celui d'un vélo de route, afin de permettre une grande aisance sur différents types de terrains.

Les cintres plats avec bar-ends sont maintenant courants, bien que les cintres semi-relevés deviennent de plus en plus populaires, question de confort de la position relevée, mais aussi phénomène de mode.

Les vitesses et les freins

Pour permettre l'ascension de côtes très raides, les braquets offrent des démultiplications optimales. Les systèmes de transmission se sont considérablement développés au cours des dernières années, et, aujourd'hui, les systèmes Gripshift et RapidFire sont les plus utilisés.

Les freins à disque se sont développés à un rythme tel – et sont si efficaces – qu'on les trouve aujourd'hui même sur la plupart des vélos de moyenne gamme, soit en série, soit en option. Mais les freins traditionnels (Cantilever ou V-brake) offrent encore une bonne capacité de freinage.

Les manivelles et les dérailleurs

Souvent en alliage d'aluminium léger, coulé ou forgé à froid, les manivelles peuvent aussi être en composites, avec des inserts en métal aux points critiques.

Le dérailleur permet de passer les vitesses indexées sur les manettes fixées sur le cintre.

Les pédales

Les pédales peuvent être ou non équipées de cale-pieds spéciaux, en plastique ou en métal, permettant de solidariser le pied à la pédale. Des pédales automatiques augmenteront de façon notable votre puissance de transmission.

La selle

Bien que la selle soit l'un des rares points en contact direct avec le corps, les fabricants se contentent souvent d'une moindre qualité. Or les selles modernes adaptées aux anatomies féminines et masculines offrent un meilleur confort et diminuent les risques de blessures.

Les roues

Les roues spéciales de compétition sont maintenant très prisées en raison de leurs performances et de leur légèreté. Mais il faut se garder de sacrifier la solidité de l'équipement pour gagner quelques grammes.

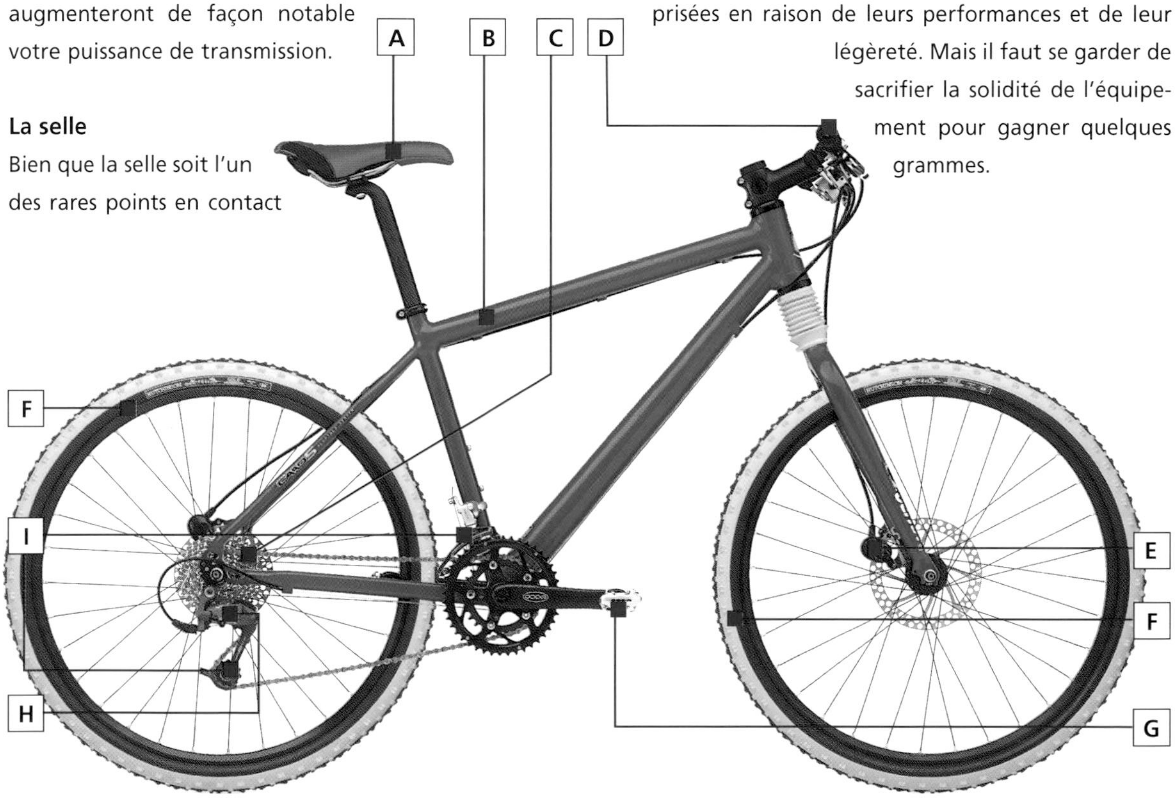

A B C D E F G H I

A La selle : La conception des selles s'est beaucoup améliorée et la nouvelle génération de selles anatomiques offre un meilleur confort et diminue les risques de blessures dues au frottement.

B Le cadre : Le cadre du vélo de montagne actuel compense la hauteur supplémentaire (relevée) de l'avant, due à la fourche suspendue qui est maintenant pratiquement standard.

C Les vitesses : On trouve des vélo de montagne à 21, 24 ou 27 vitesses d'où des largeurs de chaîne différentes.

D Le cintre : Les cintres semi-relevés sont de plus en plus populaires, surtout en raison de la confortable position relevée qu'ils offrent.

E Les freins : On a d'abord utilisé les freins Cantilever, mais les V-brake sont maintenant la norme sur la plupart des vélos, et on trouve des freins à disque sur la plupart des vélos de moyenne gamme.

F Les roues : On reconnaît le vélo de montagne à ses roues de 26 pouces. La plupart des vélos possèdent encore des jantes en alliage avec 36, 32 ou 28 rayons croisés à trois ou droits à l'avant.

G Les pédales : Les pédales automatiques (clipless) ont été perfectionnées au cours des six dernières années et sont maintenant utilisées par la plupart des pilotes avertis.

H Les manivelles : Sur certains des derniers modèles, on trouve des manivelles autœxtractibles.

I Les dérailleurs : Les dérailleurs avant et arrière ont pour fonction respective de faire passer la chaîne d'un plateau ou d'un pignon à l'autre.

Choix du cadre et mise en position

Un vélo est comme un vêtement : vous devez vous y sentir à l'aise. Votre premier objectif est donc d'être sûr que le vélo choisi (taille, position) vous convient.

Les dérailleurs

On peut faire de nombreux réglages sur les dérailleurs. Tout dérailleur est équipé de deux vis de butée qui peuvent restreindre la course de son déplacement. Le dérailleur arrière comprend une molette de réglage qui augmente la tension du câble quand on la dévisse (dans le sens contraire des aiguilles d'une montre), permettant au dérailleur de se déplacer vers le pignon plus grand, ou vers le pignon plus petit si on la visse (dans le sens des aiguilles d'une montre). La chaîne monte plus vite ou descend mieux sur les pignons.

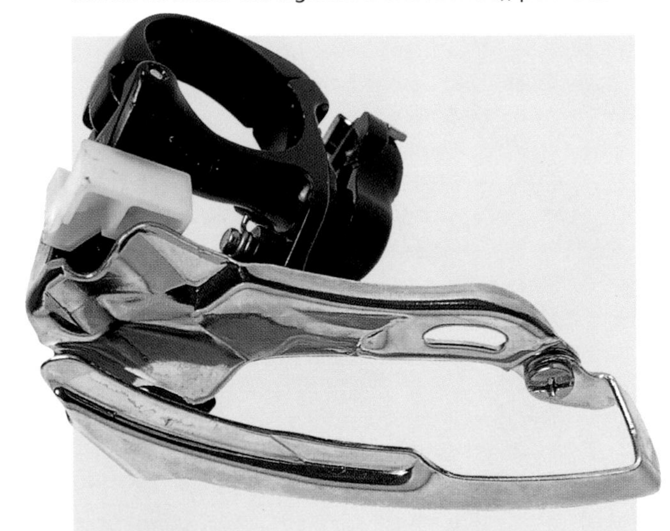

En haut : Dérailleur avant.
Ci-dessus : Dérailleur arrière.

Les manivelles

Pour ce qui est de la transmission de l'énergie, les manivelles sont le lien principal entre le pilote et le vélo. Le prix des manivelles peut varier du simple au quadruple selon qu'il s'agit de modèles standards ou de haut de gamme. Sur un vélo de montagne, les manivelles triple plateau offrent trois tailles différentes de plateaux. Cela permet au pilote de maintenir une vitesse relativement élevée en descente ou sur du plat, ou de grimper des côtes très raides, selon le braquet choisi.

La configuration des plateaux et la façon dont ils sont reliés aux manivelles peuvent différer d'un pédalier à l'autre. Les manivelles et les plateaux sont généralement fixés à l'axe du pédalier par un trou carré qui va en se rétrécissant dans la manivelle, avec un boulon qui maintient solidement la manivelle en position. Parce que ce sont des éléments fixes, ils ne peuvent être réglés mais on peut, par contre, changer de plateaux (nombre de dents).

Manivelle XTR de Shimano.

Les manettes de changements de vitesse

Les manettes de changements de vitesse doivent être d'un maniement facile. Mais il s'agit encore d'une question de goût personnel. Ne les placez pas à un endroit où vous pourriez changer de vitesse accidentellement.

EN HAUT : Manettes de dérailleurs RapidFire XT de Shimano.
CI-DESSUS : Pédale automatique avec cage.

Les pédales

Les cale-pieds sur les pédales permettent de solidariser le pied à la pédale et d'obtenir ainsi une meilleure transmission de l'énergie. Les pédales automatiques requièrent des chaussures adaptées sous lesquelles vous mettrez des cales. Si ce genre de pédales offre beaucoup moins de liberté angulaire que les cale-pieds, le système permet quand même de se déclipser d'un simple déplacement du talon vers l'extérieur – une option beaucoup plus pratique et sûre que celle des courroies des cale-pieds. Le seul vrai réglage possible sur des pédales automatiques est la tension du ressort pour déterminer la force de l'attache entre la chaussure et la pédale. Les pilotes qui n'ont pas l'habitude de ce système préféreront, au début, laisser un peu de mou dans le ressort.

Les freins

La perception, le fonctionnement et la position des leviers de frein vous mettront en confiance ou vous ramèneront brutalement à la réalité. Vous pouvez décider d'actionner le frein arrière par le levier droit ou gauche (motard), selon votre préférence. Il faut juste vous souvenir de votre choix de départ pour ne pas utiliser le mauvais frein par inadvertance et passer pardessus le guidon.

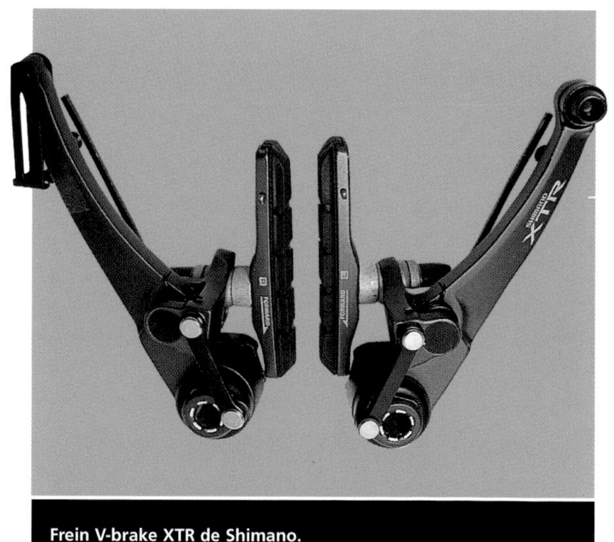

Frein V-brake XTR de Shimano.

La position des leviers de frein sur le cintre est importante. Ils ne devraient pas être horizontaux, mais placés de façon que vos poignets restent droits lorsque vos mains sont sur les poignées en position normale et que vos majeurs reposent légèrement sur les leviers. Cela vous évitera des blessures aux poignets en cas de choc imprévu. Le bras dans son entier subira le choc, et non les mains et les poignets seuls.

Le cadre

Vous devez choisir un cadre de vélo de montagne beaucoup plus petit que celui que vous choisiriez pour un vélo de route, pour la bonne raison qu'il doit être très maniable et qu'un cadre trop grand pourrait vous desservir. En règle générale, on choisit un cadre 8 cm plus petit que celui de son vélo de route. Le meilleur moyen de déterminer le bon cadre est d'enfourcher le vélo sur le tube du haut et de se tenir debout, pieds à plat, avec l'extrémité de la selle qui touche légèrement le creux du dos. Levez alors la roue avant de façon que le tube touche l'entrejambe. La roue avant devrait être à une distance située entre 7 et 13 cm du sol. Il ne faut pas transiger sur ce point. Il est préférable de faire des petits réglages par ailleurs pour parfaire les ajustements.

La selle

La selle peut (et doit être) réglée de façon à s'adapter pleinement à votre poids et à votre carrure. Pour régler la hauteur de votre selle, demandez à un ami de tenir le vélo droit, tandis qu'un autre reste derrière vous pour vérifier que votre pelvis reste droit pendant que vous pédalez en arrière. Positionnez une des pédales de façon que la manivelle soit alignée sur le tube de selle, vers le bas. En tendant complètement la jambe, vous devriez pouvoir toucher la pédale avec votre talon.

Des pratiquants chevronnés pourront vous aider à effectuer les derniers réglages de la selle. La plupart des pilotes préfèrent mettre la selle plus en arrière pour avoir une meilleure puissance et ainsi négocier des descentes plus raides.

Choisissez votre cadre en fonction de la longueur de votre entrejambe.

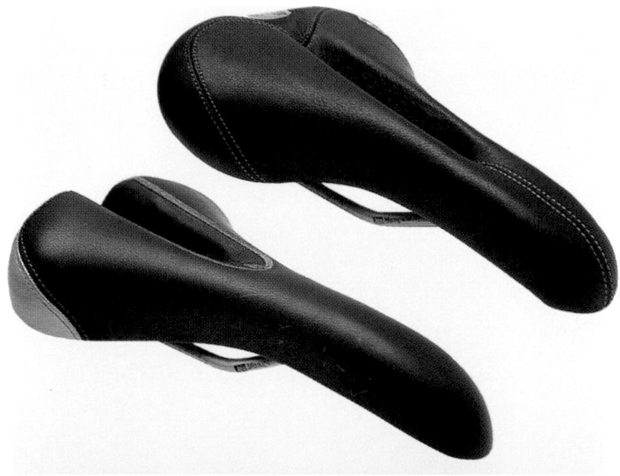

Exemples de nouveaux modèles ergonomiques de selles pour femmes (en haut) et pour hommes (ci-dessus).

La potence et le cintre

On peut modifier la longueur et l'angle de la potence. Des potences plus longues peuvent rallonger la position. En allongeant la potence, une partie plus importante du poids du corps bascule sur la roue avant. Cela signifie qu'en pente raide on passe plus vite par-dessus le guidon. Du temps des cintres plats, on relevait la potence pour relever le cintre. Avec les cintres semi-relevés, la potence a moins besoin d'être relevée. Les bar-ends améliorent la capacité de transmission et offrent plus de possibilités de positions des mains.

Un cintre plat.

Conseils d'achat

Les vendeurs des magasins de vélos sont souvent très compétents et vous guideront dans votre choix.

Les magasins de vélos

Si, en entrant dans un magasin de vélos, vous trouvez l'ambiance intimidante, sortez immédiatement et cherchez un magasin avec un personnel accueillant et serviable. Quand on achète un vélo dans une boutique, on se voit souvent offrir les premières prestations et quelques accessoires en prime. Ce sont souvent des passionnés qui tiennent les magasins de vélos et leur enthousiasme ne pourra être que contagieux.

Les grandes surfaces

Les grandes surfaces se concentrent sur le marché grand public et ont pour but d'écouler rapidement de gros stocks de marchandises. On ne va donc pas beaucoup se préoccuper de vos besoins ni du vélo que vous allez acheter. Sortez-le du rayon, passez à la caisse, et il est à vous – pour le meilleur ou pour le pire.

Les fabricants

La plupart des cadres des vélos de qualité de marque sont garantis à vie. Veillez donc à conserver les documents d'origine et le numéro de série.

Acheter sur Internet

Ce peut être un choix si vous habitez dans un endroit reculé dépourvu de magasins. Mais vous n'aurez pas de rapport direct avec un vendeur qui vous conseille et vous guide. Vous risquez donc d'avoir des surprises…

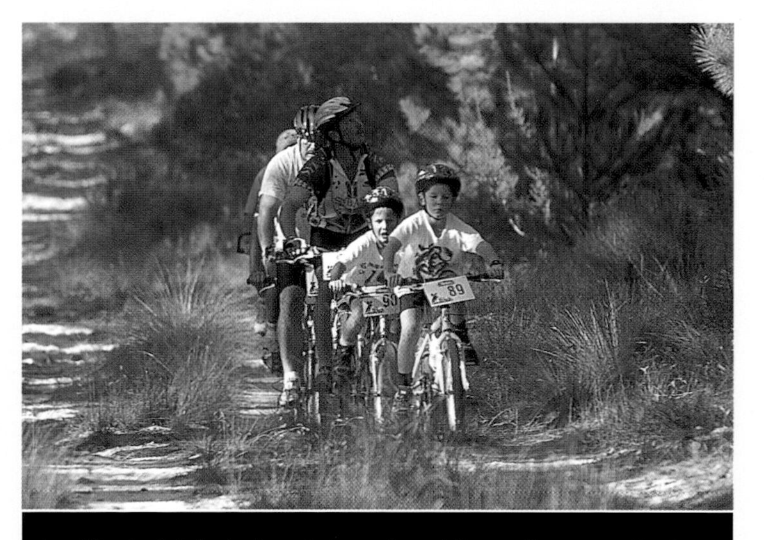

Le critère de choix le plus important quand on achète un vélo est son utilisation. Un jeune débutant, par exemple, n'aura pas besoin d'un vélo de haut de gamme, qui deviendra trop petit pour lui avant qu'il ait eu le temps de l'apprécier.

Les accessoires indispensables

Si vos vêtements sont pratiques et confortables, vous ne profiterez que mieux de vos sorties.

Le cuissard

Un bon cuissard possède un rembourrage de protection au niveau de l'entrejambe, et le Lycra dont il est fait empêche les plis et les frottements sur la selle. Quand vous achetez un cuissard, n'hésitez pas à y mettre le prix. Ceux qui ont une vraie peau de chamois à l'entrejambe nécessitent un entretien particulier pour ne pas se racornir. La peau de chamois synthétique est tout aussi efficace et beaucoup plus pratique, car elle peut passer en machine. Les habitués préfèrent souvent le cuissard baggy qui ne s'accroche pas à la selle et ne glisse pas sur les fesses. Pour un usage de loisir, achetez plutôt un short ordinaire à poches, doublé d'un slip avec peau de chamois naturelle ou synthétique, la plupart du temps.

A Le cuissard en Lycra est confortable et empêche le frottement contre la selle.
B Les shorts ou baggies sont munis de cuissards internes, ajustés et rembourrés.

Le maillot

Un maillot de cycliste vous permettra de rester au chaud et au sec, et possède dans le dos des poches bien pratiques pour ranger ravitaillement et autres objets. En dehors de son côté fonctionnel, ses couleurs vives vous rendent plus visible, pour les automobilistes notamment.

La veste

La veste du cycliste a la même fonction qu'un pull-over ou qu'un maillot et permet de se protéger en cas de grand froid et/ou de pluie. Il est préférable de se munir d'une veste chaude et d'une veste de pluie – surtout pour les longues distances –, puisque le froid n'implique pas nécessairement la pluie et vice versa. Si vous en avez les moyens, vous pouvez bien sûr investir dans une veste en goretex qui sera à la fois légère, imperméable et indéchirable.

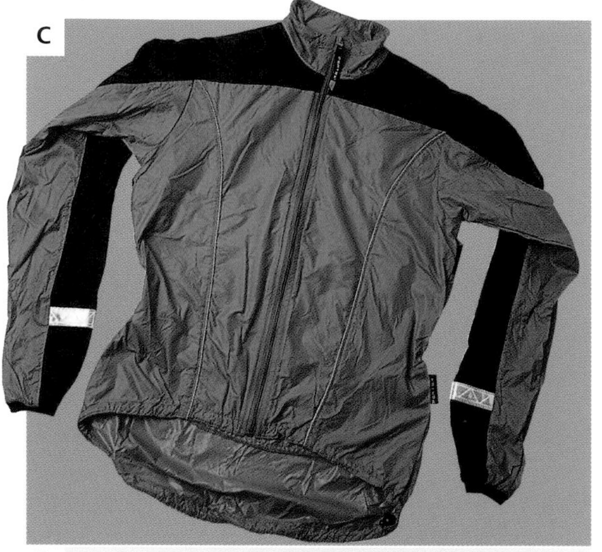

C Une veste de cyclisme vous protégera du vent et du froid.
D Il existe des maillots à manches courtes ou à manches longues.

Des vélos « féminins »

« Si la vogue du vélo dans les années 90 a restructuré de façon subtile les exigences des consommateurs, elle a surtout fondamentalement modifié les rapports sociaux et en particulier les rapports entre les sexes.

Les modifications résident autant dans une plus grande mobilité des femmes que dans leur affranchissement nouvellement acquis des contraintes de la mode. Le vélo a fait plus que transformer l'idéal de la beauté féminine... Il a également redéfini les rôles politiques et sociaux de la femme. »

***La Grande Histoire du vélo,* de Pryor Dodge**
(Flammarion, Paris, 1996)

Dans les premiers temps du cyclisme les femmes n'étaient guère nombreuses. Mais, aujourd'hui, l'engouement féminin pour le vélo de montagne se développe.

La géométrie du cadre

Les femmes ayant généralement des jambes plus longues et un buste plus court que ceux des hommes, elles peuvent parfois trouver inconfortable la géométrie standard du cadre de vélo, et beaucoup d'entre elles ont l'impression de devoir « s'étirer » pour s'y adapter. Bien qu'on puisse toujours trouver une solution pour qu'une femme se sente un peu plus à l'aise, en adaptant par exemple une potence plus courte ou des cintres semi-relevés, il vaut mieux qu'elle cherche une marque de vélo sur laquelle elle se sente immédiatement à l'aise.

La selle

L'idéal pour les femmes cyclistes serait que l'extrémité de la selle reste à plat, bien que certains pilotes préfèrent l'incliner légèrement vers le bas.

Les femmes ont d'ordinaire des hanches plus larges que celles des hommes, et maintenant qu'elles sont plus nombreuses à rouler, il existe un bon choix de selles spéciale pour femmes. Une selle pour femmes ne devrait appuyer que sur les ischions et non sur les parties génitales.

Les vêtements

En dehors d'un soutien-gorge de sport confortable, les femmes devraient également investir dans un cuissard pour femmes, dont le rembourrage est plus large pour mieux s'adapter aux hanches féminines.

Le rembourrage du cuissard pour hommes se trouve placé au point de friction maximale des fesses féminines et risque de meurtrir la chair. Le cuissard pour femmes, au contraire, a un rembourrage plus large et sera parfaitement ajusté au niveau de la taille pour s'adapter à l'anatomie féminine.

Les lunettes

Bien plus qu'un accessoire, une bonne paire de lunettes de cyclisme protège du vent, du sable, des branches et des insectes, ainsi que des ultraviolets et des infrarouges. Elle devra être équipée d'écrans antichocs et offrir néanmoins une bonne visibilité. Il faut privilégier la légèreté et le confort et se munir de plusieurs types de verres, suivant les conditions d'ensoleillement. Envisagez l'achat d'une cordelette pour les suspendre à votre cou et éviter de les perdre si vous tombez. Vous pouvez aussi avoir besoin de les enlever pendant que vous roulez, si elles sont pleines de boue, ou, par temps froid, embuées.

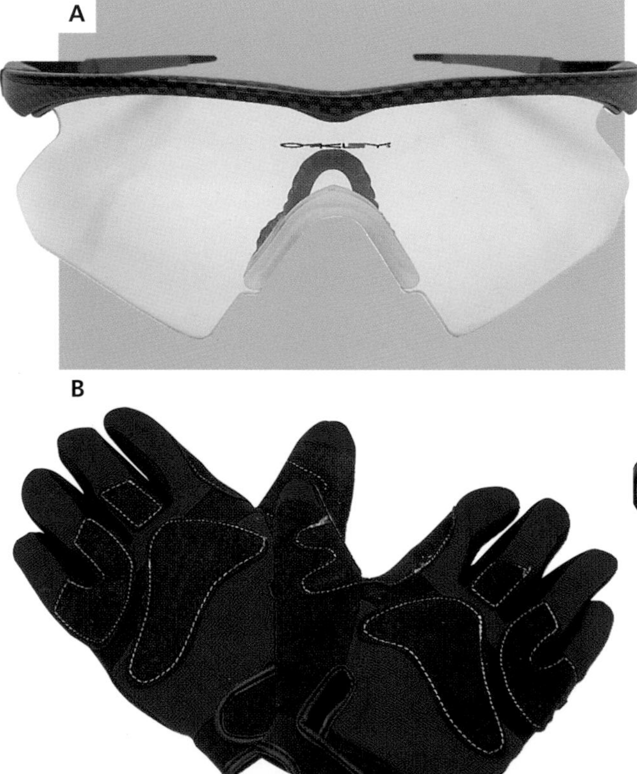

Les chaussures

En dehors de l'entraînement, la seule façon d'améliorer vos performances est d'investir dans une bonne paire de chaussures de vélo de montagne. Des chaussures bien ajustées et à semelle rigide vous donneront dynamisme et énergie. En associant des pédales SPD (Shimano Pedalling Dynamics) ou d'autres chaussures du même genre à de bonnes pédales automatiques, vous gagnerez sur les deux tableaux.

Des chaussures correctes, soumises à un usage intensif, devraient tenir au moins une saison ou deux. D'un emploi plus occasionnel, elles peuvent durer plusieurs années. À la différence des chaussures de cyclisme de route, elles sont conçues à la fois pour le vélo et pour faire de courtes distances à pied, ce qui est indispensable dans la pratique du vélo de montagne, où on a souvent l'occasion de mettre pied à terre et de porter le vélo.

A Des lunettes légères sont une protection indispensable.
B Les cyclistes ont le choix entre des gants ou des mitaines.
C Les crampons sont aussi importants que la chaussure.

Les gants

Une bonne paire de gants assure une prise convenable sur le guidon par tous les temps et sur tous les terrains, et vous protège des ampoules. Quand on tombe, ce sont les mains qui touchent le sol en premier, les gants vous éviteront de sérieuses écorchures et des gants d'hiver préviendront les crampes dues au froid.

Le casque

Un casque peut vous sauver la vie et est indispensable si vous participez à des épreuves organisées. Pour offrir une protection maximale, votre casque doit vous aller parfaitement. Le rembourrage et les brides doivent être agencés de façon que le casque s'adapte à votre tête. Assurez-vous que le modèle choisi a été certifié conforme par un organisme officiel et en porte le label.

Les pompes

Une pompe à pied vous permettra de gonfler vos pneus sans effort et, grâce au manomètre, vous serez sûr de les gonfler à la bonne pression. Il existe de nombreuses mini-pompes double shot sur le marché, mais les pompes à vélo classiques s'adaptent tout à fait sur votre cadre. Il est cependant important que votre pompe soit correctement rangée dans une trousse à outils ou fixée solidement au cadre, car il arrive souvent que la pompe tombe sous l'effet des secousses.

A Casque de cross-country.
B Mini-pompes à main.
C Camelbak.

Les systèmes d'hydratation

La perte, ne serait-ce que d'une petite partie, de la teneur en eau de votre organisme peut avoir une incidence grave sur vos performances. Au cours de tout effort physique, la réhydratation est primordiale. Or il n'est pas aisé de boire à la bouteille quand on pratique le vélo de montagne.

En raison de ces difficultés, il se peut que vous ne buviez pas assez. Un système d'hydratation mains-libres porté sur le dos (comme le Camelbak) vous permettra de boire tout en roulant et vous aidera à rester hydraté, même à grande vitesse ou sur terrain accidenté. La plupart des modèles récents ont un sac externe muni de plusieurs poches pour ranger divers objets. C'est un accessoire vraiment utile.

À chacun son vélo de montagne

Avant d'acheter un vélo, réfléchissez à l'usage que vous allez en faire. L'un des éléments les plus importants du vélo de montagne est sa polyvalence. Il peut avoir des emplois très divers, du loisir à la course, en passant par le maintien de l'ordre, le moyen de transport et la promotion sociale.

La randonnée

Grâce à leur solidité et à leur confort, les vélos de montagne sont parfaits pour la randonnée. La plupart des cadres sont équipés pour porter des sacoches. Souvenez-vous toutefois qu'en randonnant dans les pays en voie de développement il n'est pas toujours facile de trouver des pièces de rechange et que vous aurez sans doute du mal à faire réparer un cadre en aluminium ou autre alliage sophistiqué. Il est peut-être préférable de vous en tenir à l'acier et de débarrasser votre vélo de ses suspensions et de toute autre pièce superflue susceptible de souffrir. Le secret réside dans la simplicité. N'oubliez pas que vous ne pouvez pas faire jouer votre garantie chez les revendeurs locaux quand vous voyagez dans des régions reculées.

Le cyclisme de loisir

La plupart des vélos de montagne d'entrée de gamme ou de moyenne gamme se prêtent bien au cyclisme de loisir. Un vélo relativement léger équipé d'une fourche-amortisseur et de pièces ordinaires vous assurera des heures de cyclisme insouciant. Mais n'exigez pas trop d'un vélo bon marché composé de pièces peu solides, car il n'est pas conçu pour des terrains difficiles et il vaut mieux s'en servir sur des chemins faciles, pour faire de l'exercice physique, pour des trajets quotidiens ou encore pour les sorties familiales.

Synonymes d'aventure, les sommets encore épargnés restent le dernier défi pour les adeptes du vélo de montagne du monde entier. Et quoi de plus exaltant que la perspective de s'attaquer aux pics recouverts de neige des Alpes suisses !

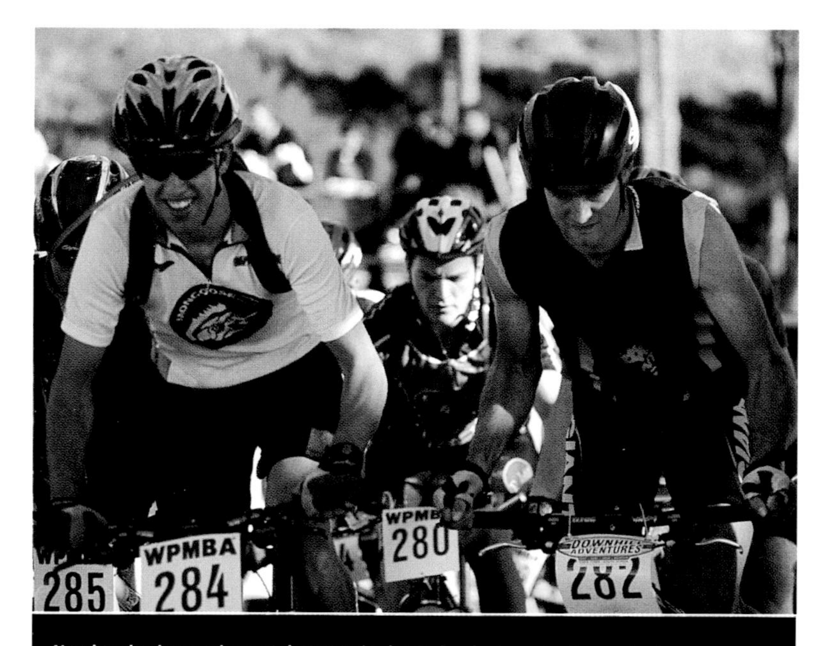

Nombre des innovations et des progrès des technologies actuelles sont nés sur les pistes qui sollicitent à la fois les machines et les hommes.

La compétition

La compétition est le banc d'essai des nouvelles technologies qui, après les vélos de course de haut de gamme, finiront par équiper la plupart des modèles grand public. La compétition de vélo de montagne est maintenant si répandue que ce sport s'est scindé en plusieurs branches, et que le cross-country est devenu une discipline à part entière aux Jeux olympiques d'Atlanta et de Sidney.

À l'heure actuelle, il existe toutes sortes de disciplines, du cross-country à la descente en passant par le slalom, le trial et la course par étapes.

Les trajets quotidiens

Le vélo de montagne est idéal pour les trajets quotidiens. Tout d'abord, il possède des points d'accroche pour les sacoches. Plus lourdes et plus solides, les roues résistent mieux aux chaussées dégradées et aux nids-de-poule que celles d'un vélo de route classique. La position sur la selle vous rend également plus visible dans la circulation – et plus stable sur le vélo –, ce qui est un avantage sur le plan de la sécurité. Faciles à utiliser, les braquets et les freins vous aideront à aborder les côtes, et les arrêts et redémarrages fréquents dans le milieu peu réglementé des deux-roues en ville.

Le free-ride

Le free-ride est un mélange de cross-country et de descente, et il a donné naissance à une toute nouvelle série de vélos. Il consiste à rouler sur des pistes qui mettent à l'épreuve à la fois votre technique et votre endurance. Les vélos free-ride sont généralement dotés de suspensions avant et arrière, de cadres renforcés et de freins à disque. Ils sont plus lourds que les vélos cross-country et sont conçus pour rouler longtemps et à grande vitesse sur terrain difficile et « trialisant ».

De nouveaux vélos ont vu le jour avec le free-ride.

Technique sur le terrain

Nombreux sont les novices qui racontent l'histoire d'une « randonnée infernale » en guise de première sortie en vélo de montagne ! La plupart d'entre eux étaient hauts comme trois pommes la dernière fois qu'ils sont montés sur un vélo, et, adultes, ils doivent réapprendre à en faire ! Apprenez à connaître votre nouveau vélo (ses manettes, ses vitesses, ses pédales) sur un parking tranquille ou un lieu sans circulation. Les débutants, impatients de répondre aux nouveaux défis qui s'offrent à eux, font souvent des erreurs susceptibles de saper leur assurance. Les erreurs simples les plus communes :

- Rouler avec des cyclistes, des amis ou des conjoints qui ne soutiennent ni n'encouragent.
- S'attaquer à une piste technique au-delà de ses capacités et donc courir le risque de se blesser.
- Mal choisir sa catégorie ou la distance au cours d'une épreuve.

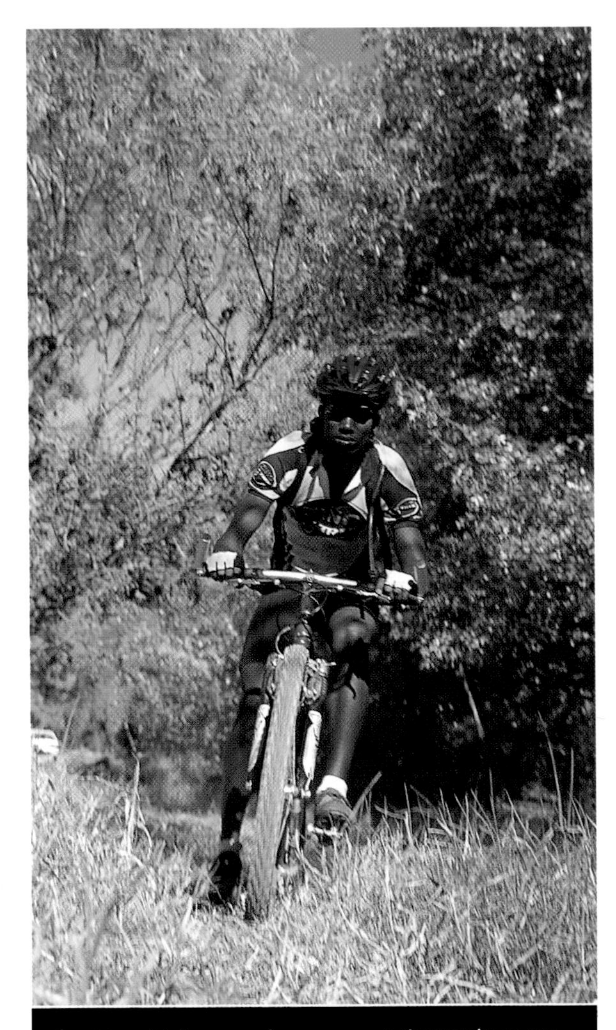

CI-DESSUS : Adultes, nous devons souvent réapprendre ce que nous avions appris si facilement dans notre jeune âge, faire du vélo par exemple.
CI-CONTRE : Le vélo de montagne permet de s'entraîner à changer les vitesses tout en parcourant des pentes et des terrains aventureux.

Quelques conseils utiles

- Ne vous laissez pas hypnotiser par le pilote qui vous précède, sous peine de heurter l'obstacle qu'il vient si bien d'éviter ! Regardez devant vous !
- Quand vous arrivez inopinément sur du sable, de la boue ou de l'eau, basculez le poids du corps vers l'arrière en reculant sur la selle. Ne freinez pas brusquement et ne raidissez pas le corps sous peine de perdre le contrôle. Moulinez avec une vitesse facile en laissant la roue avant « flotter » sur le terrain instable.
- Pensez à manger et à boire régulièrement. L'idéal serait toutes les vingt minutes. Si vous ne le faites pas, vous risquez le « coup de barre ».
- Si vous descendez un talus à pic ou si vous faites de la descente, basculez toujours le poids du corps vers l'arrière de la selle. Si vous perdez le contrôle, il est beaucoup moins dangereux de tomber en arrière que de passer tête la première par-dessus le guidon !
- Au lieu de vous focaliser sur l'obstacle que vous essayez d'éviter sur la piste, regardez toujours devant vous.
- En montée ou en descente, choisissez une position et gardez-la. Si vous hésitez à mi-pente, vous êtes sûr de tomber.

Roulez en groupe: C'est plus sûr et vous pourrez apprendre de beaucoup de cyclistes confirmés qui partagent la même passion.

Profitez de l'aventure

Voici quelques conseils pour rendre plus agréables vos sorties en vélo de montagne.

Ne roulez jamais seul

Roulez toujours en groupe : vous alliez ainsi sécurité, sociabilité et, pour les débutants, soutien. Vous pourrez apprendre beaucoup de partenaires qui ont la même passion. De plus, les autres pilotes aiment faire partager leurs itinéraires et leurs expériences à un néophyte. N'hésitez donc pas à entrer en contact avec les clubs de vélo de montagne de votre région.

Mettez-vous en rapport avec un responsable

Les randonnées organisées doivent être classées par ordre de difficulté afin que vous puissiez choisir celle qui convient le mieux à vos envies et à votre niveau. Si ce n'est pas le cas, demandez au responsable quels sont les distances, le temps estimé pour les parcourir et s'il existe un groupe lent et/ou des pilotes « balais ». Dans l'idéal, un pilote débutant ne devrait pas faire de randonnées de plus de 15 km.

Préparez-vous

Buvez et mangez environ deux heures avant de partir en randonnée. Votre corps va brûler des calories au cours de l'excursion, il est donc important de vous nourrir et de vous réhydrater pour reconstituer vos réserves. Ne faites pas de repas trop riche (trop gras ou avec une sauce lourde) et ne buvez pas d'alcool, sous peine de nausées. Assurez-vous aussi que votre vélo est en parfait état de marche et que vous avez une chambre à air de rechange et une pompe. Vous ne roulez pas en voiture sans roue de secours, alors faites de même à vélo.

Avant de partir

- Quand vous remontez votre vélo, serrez convenablement les serrages rapides des roues et assurez-vous que les leviers sont tournés de façon à ne pas s'accrocher à la végétation.
- Rattachez les freins si vous avez enlevé les roues pour

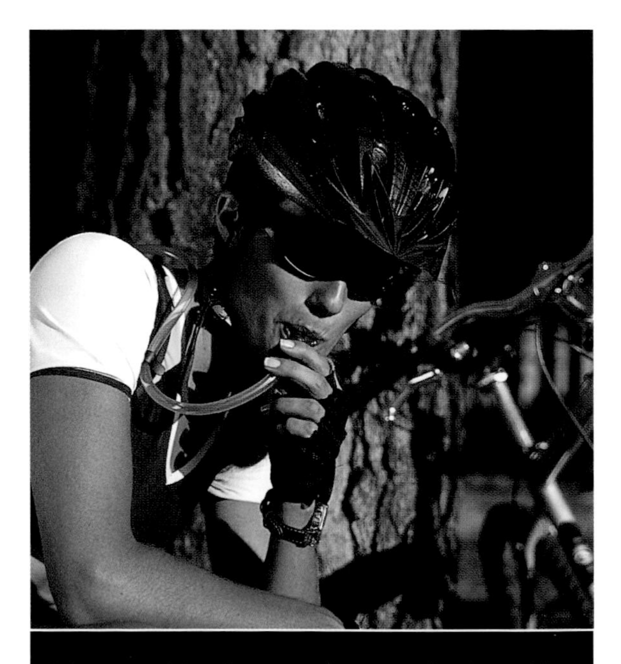

Préparez-vous ! Quand vous organisez une randonnée, n'oubliez pas d'emporter de l'eau et autres objets indispensables.

le transport. S'ils frottent contre la roue, vérifiez que celle-ci a été correctement introduite et resserrez de nouveau.

■ Vérifiez que la selle est à la bonne hauteur.

■ Faites-vous connaître de l'organisateur de la randonnée.

■ Échauffez vos muscles avant ou pendant le briefing de la randonnée.

En route pour l'aventure

Détendez-vous et amusez-vous ! Quand le groupe se met en route, évitez de rouler trop vite trop tôt. Donnez-vous dix minutes pour vous échauffer. Allez à votre rythme et, tout en admirant le paysage, prenez soin de noter quelques points de repères au cas où vous vous perdriez plus tard.

S'il s'agit de votre première randonnée, n'hésitez pas à essayer toutes les vitesses au lieu de vous éreinter avec une seule. Vous allez rencontrer toutes sortes de dénivelés et de terrains. Le large éventail de braquets est conçu tout exprès. Regardez les autres pilotes, parlez avec eux et tenez compte de leurs conseils.

Si l'itinéraire coupe des routes principales avec de la circulation, restez vigilant. De nombreux pilotes sont tellement détendus au cours d'une randonnée qu'ils oublient de regarder à gauche et à droite quand ils traversent une route. Si le trafic est important, il est préférable de descendre de vélo et de traverser à pied.

Après l'effort, le réconfort...

Sur le chemin du retour, arrêtez-vous dans un café et offrez-vous une boisson et un gâteau. Ne prévoyez pas un emploi du temps trop chargé après une randonnée, il y a de grandes chances que vous soyez trop fatigué pour en profiter !

N'oubliez pas d'étirer vos muscles (comme vous l'avez fait avant de commencer), et enfilez un vêtement chaud. Votre maillot sera trempé de sueur, et la température du corps chute dès qu'on s'arrête de faire de l'exercice (ce sont les conditions idéales pour attraper un rhume).

Les vérifications indispensables

Sur un vélo, il faut absolument contrôler les pédales, le guidon, les manettes, les leviers de frein et la selle.

■ Sans même vous en rendre compte, vous utilisez souvent la selle comme levier en poussant le vélo avec l'intérieur des cuisses pour obtenir un angle d'appui correct. Essayez de rouler sans et vous comprendrez pourquoi !

■ Le système de freinage devrait être réglé de façon que vous puissiez freiner en utilisant seulement un ou deux doigts sur le levier. L'inclinaison du levier devrait être telle que les poignets restent droits et forment une extension de votre bras quand vos doigts reposent sur le levier de frein. Il faut impérativement savoir quel levier contrôle le frein avant et quel est celui qui contrôle le frein arrière, sans avoir à y penser. Vous n'aurez pas le temps d'y réfléchir en cas d'urgence et, si vous actionnez le frein avant au lieu du frein arrière, vous risquez de passer par-dessus le vélo.

■ Les manettes doivent fonctionner de manière irréprochable, que ce soit pour monter les vitesses ou pour les descendre. C'est important quand vous essayez de sortir d'une situation difficile ou quand vous exécutez certaines manœuvres. Si vous rencontrez des problèmes de changements de vitesse, il faut sans doute remplacer les câbles ou régler leur tension.

■ Les pédales étant votre point de contact principal avec le vélo (en dehors de la selle et du guidon), elles doivent être en bon état. Si vous utilisez des pédales automatiques, vos chaussures aussi doivent être en bon état, et les pédales doivent libérer les crampons facilement quand vous essayez de déclipser.

■ Les poignées doivent être d'un diamètre adapté à la taille de vos mains.

■ Les bar-ends (quand il y en a) doivent être installées à un angle sûr tout en améliorant la géométrie et en offrant des prises supplémentaires sur le cintre. C'est particulièrement utile lorsque vous avez besoin de plus de puissance en montée ou de plus de confort.

Ce sont surtout vos jambes qui travaillent, même quand vous maîtrisez des techniques plus perfectionnées. Alors, pensez à échauffer les muscles des jambes.

Passons aux choses sérieuses

Après votre première sortie à vélo, il vous faut maintenant passer à la cadence supérieure.

Les réglages et la préparation de votre vélo

Pour pouvoir contrôler votre vélo, il doit être parfaitement adapté à vos mensurations et à votre niveau. Il est donc important de choisir un cadre de la bonne taille (*voir* p. 16) et de trouver la bonne hauteur de selle (*voir* p. 16). Si vous vous sentez trop ramassé ou trop allongé sur le vélo, remplacez la potence existante par un modèle plus long ou plus court. La longueur de la potence a une incidence sur la maniabilité du vélo et il faut s'y habituer avant de se lancer sur les pistes. Une potence courte signifie qu'il y a moins de poids porté sur la roue avant, ce qui a pour résultat une moindre adhérence de la roue avant quand on prend des virages à grande vitesse. Il vous faudra compenser en mettant plus de poids sur la roue avant. Une potence plus longue peut limiter votre capacité de manœuvre dans les pentes abruptes et vous courrez plus de risques de passer par-dessus le guidon.

L'échauffement et l'étirement

La plupart des cyclistes négligent de s'échauffer, ce qui peut être cause de blessures et de performances modestes. Le vélo de montagne est avant tout un sport d'endurance cardiovasculaire, et un échauffement prépare les muscles et les tendons. En commençant par un échauffement, puis en roulant d'abord doucement et en accélérant petit à petit, vous aiderez votre corps à passer en douceur le seuil de l'effort. Après la randonnée, il vous faudra faire la même chose, mais en sens inverse : ralentissez progressivement et terminez en étirant vos muscles.

La position des mains

C'est vous qui choisissez la position des mains qui vous convient le mieux, mais quelques conseils peuvent vous être utiles.

■ Ne serrez jamais les poignées trop fort. Le haut du corps aurait alors tendance à se raidir, ayant pour effets une perte de contrôle et une fatigue des mains et des bras.

■ Quand vous roulez, ne placez jamais les pouces sur le dessus de la poignée avec les autres doigts. Si vous heurtiez un obstacle, vos mains glisseraient du guidon.

■ Tenez le guidon sans serrer. Vos bras doivent être légèrement fléchis et vos épaules détendues.

Le freinage

Un doigt ou deux suffisent pour freiner. Vous ne devriez jamais avoir besoin de tous les doigts pour actionner les freins car les trois doigts restants sont nécessaires pour garder le contrôle du vélo tout en freinant. Les freins avant freinent mieux que les freins arrière. Mais ils doivent être utilisés avec doigté, selon le terrain et la puissance de freinage. Si vous n'avez pas suffisamment d'expérience, n'utilisez pas le frein avant dans des petites descentes très raides ou dans des virages à grande vitesse sur terrain meuble. Sur des longues descentes, ne freinez pas de façon continue, ce qui aurait pour résultat de faire chauffer la jante et les patins et de rendre le freinage moins efficace. Relâchez les leviers régulièrement et momentanément jusqu'au bas de la pente. Vous éviterez ainsi l'échauffement et garderez intacts votre puissance de freinage et le contrôle de votre vélo.

Le pédalage

Comme ce sont les pédales qui transfèrent l'énergie, il vous faut mettre au point une technique qui vous permette d'en transférer le plus possible.

■ De bonnes chaussures de cyclisme et des pédales automatiques vous y aideront.

■ Pour fournir une énergie régulière et constante au train de transmission, vous devez apprendre à pédaler rond et non en écrasant la pédale de haut en bas. Pour acquérir la technique, il est préférable de s'entraîner sur terrain régulier ou sur route en se concentrant sur les quatre phases (ci-dessous) du coup de pédale.

■ Il est admis qu'une « cadence » élevée – le nombre de rotations par minute de la pédale (RPM) – est plus efficace en termes d'énergie, d'où des notions de « fouetté de coup de pédale ». Mais quand on pratique le vélo de montagne, il est presque impossible de garder un bon rythme, encore moins une cadence élevée. La seule exception : un vélo à suspension intégrale qui permet de s'asseoir plus souvent et de maintenir ainsi une cadence élevée.

■ Pensez à vous contrôler souvent (ou demandez à un autre pilote de le faire) et modifiez votre technique de pédalage si vous sentez que vous écrasez les pédales.

La répartition du poids

Quand vous êtes correctement installé sur le vélo, sur une surface plane, vous devez avoir environ 60 % du poids sur la roue arrière et 40 % sur la roue avant. Cette répartition permet une certaine souplesse pour grimper des côtes abruptes sans que le vélo bascule en arrière et pour descendre des passages ardus sans voler par-dessus le guidon.

■ **En descente :** Maintenez toujours le poids du corps vers l'arrière, sans hésiter à mettre l'avant du corps sur la selle si la pente l'exige.

■ **En montée :** Déplacez le poids du corps vers l'arrière de la selle pour laisser plus de puissance aux jambes, tout en gardant très bas le haut du corps, en vous ramassant sur le guidon pour vous « coller » au vélo.

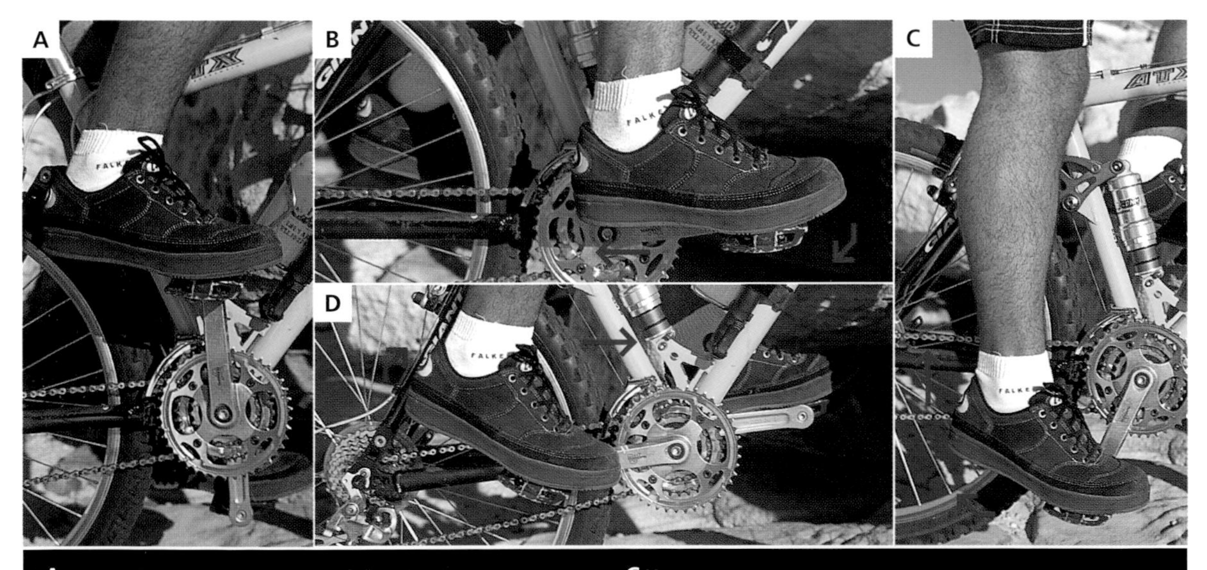

A Le pressé : Poussez la pédale vers le bas, à la force des orteils ou de la cheville. Vous aurez plus de force si la cheville dirige le coup de pédale vers le bas, avec le talon pointé vers le bas et les orteils vers le haut.

B Le tiré en arrière : Dans cette phase, le pied va aller du bas (passage du point mort bas) vers l'arrière. Il vous faut reculer le pied vers l'arrière (comme si vous vous essuyiez les pieds sur un paillasson).

C L'élévation : Il faut ici tirer la pédale vers le haut aussi énergiquement que possible.

D Le poussé en avant : Il vous suffit maintenant de pousser la pédale vers l'avant (passage du point mort haut).

L'utilité des vitesses

Les vélo de montagne sont équipés de braquets permettant à la fois d'atteindre des vitesses élevées et de grimper des pentes très raides à vitesse lente. Pour en faire bon usage, vous devez savoir comment ils fonctionnent.

On trouve trois plateaux dont la taille peut varier : un grand plateau (de 42 à 48 dents), un plateau moyen (de 32 à 36 dents) et un petit plateau (de 20 à 26 dents). Sur le moyeu à cassette se trouve un groupe de pignons dont les dentures vont de 11 à 32 en 7, 8 ou 9 pignons. Selon le choix du plateau avant et du pignon arrière, vous ferez, en un tour de pédale, un nombre différent de tours de roue arrière.

Exemple 1

Vous roulez avec le plus grand plateau avant (42 dents) et le plus petit pignon arrière (11 dents) : 42 : 11 = 3,8. Pour chaque tour de pédale, la roue arrière fait 3,8 tours. C'est la vitesse la plus longue qu'on réserve pour les descentes.

Exemple 2

Vous roulez avec le plus petit plateau avant (22 dents) et le plus grand pignon arrière (32 dents) : 22 : 32 = 0,68. Pour chaque tour de pédale, la roue arrière fait un peu plus de la moitié d'un tour. C'est la vitesse la plus courte, ou la plus « lente », qu'on réserve pour les montées.

La ligne de chaîne

- Ne changez pas de vitesse lorsque vous appuyez pleinement sur les pédales, mais relâchez momentanément la pression pendant le changement de vitesse.
- Il vaut mieux changer progressivement de vitesse plutôt que de sauter d'une vitesse extrême à l'autre.
- Ne « croisez » pas la chaîne, ce qui veut dire que vous avez les deux plus grands pignons à l'arrière et le plus grand plateau à l'avant, ou les deux plus petits pignons à l'arrière et le plus petit plateau à l'avant.
- Quand la chaîne est sur le plateau du milieu, vous pouvez utiliser n'importe quel pignon à l'arrière.

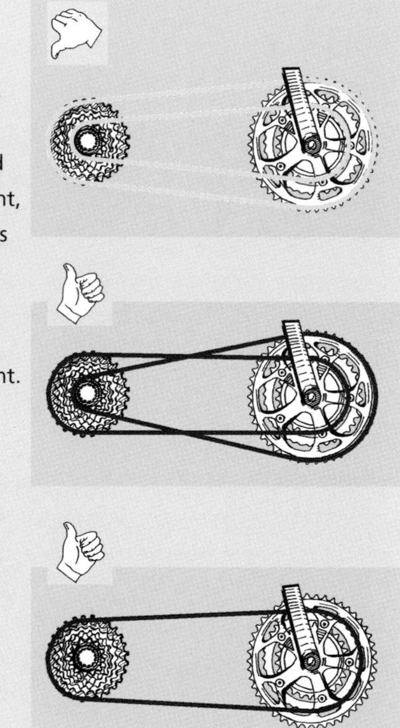

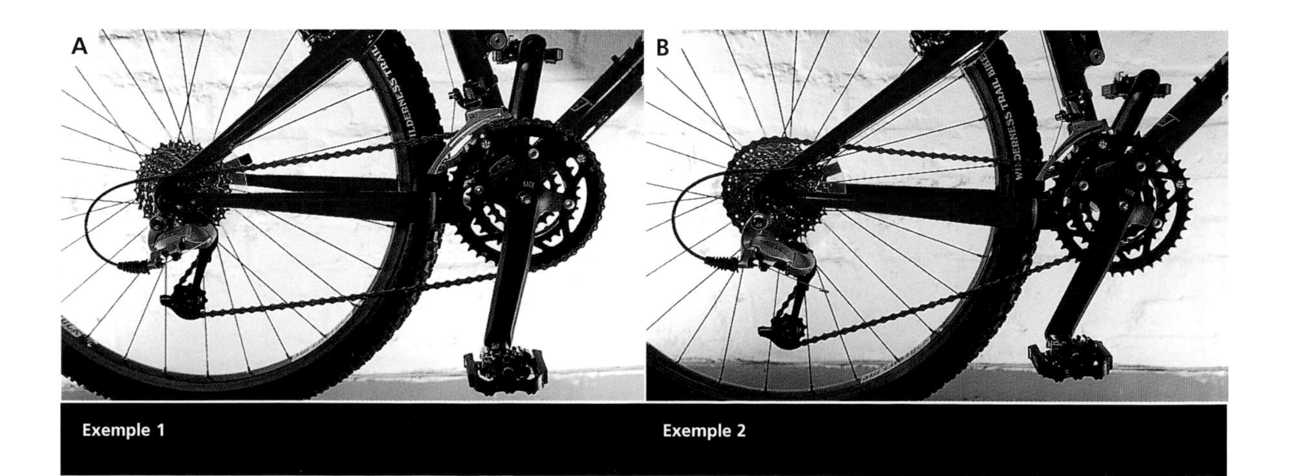

A — Exemple 1

B — Exemple 2

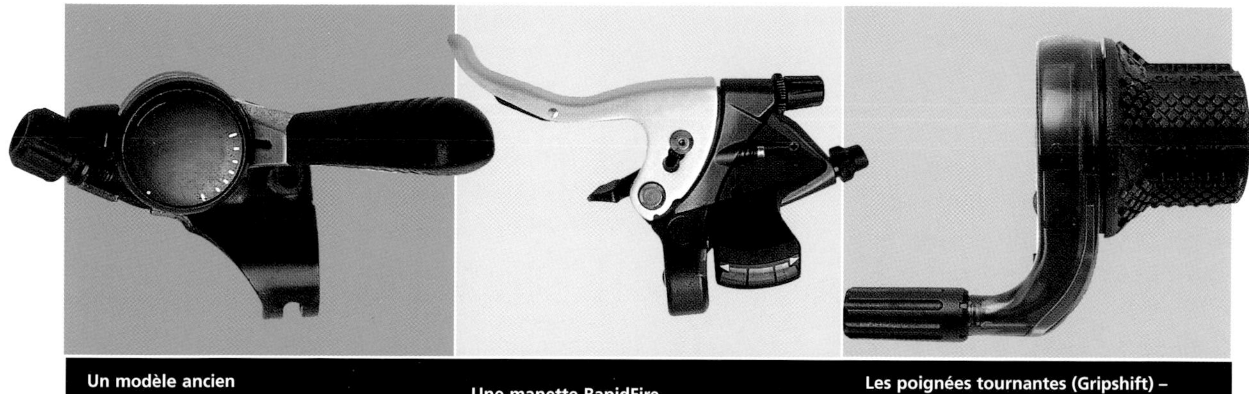

Un modèle ancien de manette à pouce.

Une manette RapidFire.

Les poignées tournantes (Gripshift) – agrippez et tournez, tout simplement.

Les systèmes de changements de vitesse

Les vélos de montagne possèdent une manette de dérailleur avant sur la gauche du guidon et une manette de dérailleur arrière sur la droite. Les dérailleurs font passer la chaîne d'un pignon à l'autre.

■ **Les manettes à pouce:** ces manettes simples étaient fixées sur le cintre et étaient actionnées en poussant le levier avec le pouce et en le tirant avec l'index.

■ **Les manettes RapidFire:** elles sont généralement situées sous le cintre et sont actionnées par deux boutons-poussoirs (sur les modèles les plus anciens) ou un levier «pousser-tirer» (sur les modèles récents). Les manettes arrière peuvent descendre (dans une vitesse plus facile) de une à trois vitesses à la fois, mais ne peuvent monter que d'une vitesse à la fois. Les manettes avant ne peuvent monter ou descendre que d'une vitesse à la fois. Certains modèles ont un petit indicateur visuel de la vitesse choisie.

■ **Les poignées tournantes (Gripshift):** elles tournent autour du cintre. Les Gripshift font partie intégrante des poignées du cintre et permettent de faire pivoter une partie de la poignée (comme un accélérateur de moto), actionnant ainsi le dérailleur.

Les techniques de changements de vitesse

Anticipez toujours et changez de vitesse suffisamment à l'avance. Bien que la qualité et le fonctionnement de la transmission des vélos se soient améliorés au cours des dernières années et que les changements de vitesse soient maintenant possibles chaîne tendue, il est préférable d'alléger momentanément son pédalage pour permettre une transmission régulière sous peine d'endommager la chaîne, d'user prématurément les plateaux et les dents, et de manquer des vitesses.

La chaîne

La chaîne est un mécanisme très sophistiqué. Des petites plaques spécialement chanfreinées permettent des changements de vitesse faciles et un fonctionnement silencieux, tandis que les nouveaux alliages offrent un bon équilibre entre rigidité et solidité. Une chaîne bien lubrifiée produit un transfert d'énergie avec un rendement de 96 %, alors que le transfert d'énergie moyen se situe autour de 85 % seulement. Pour avoir de bons résultats, la chaîne doit être propre et lubrifiée : nettoyez-la régulièrement avec un dégraissant et graissez-la avant chaque sortie avec un lubrifiant pour chaîne de vélo. N'utilisez pas d'huile de moteur ou d'huile ménagère.

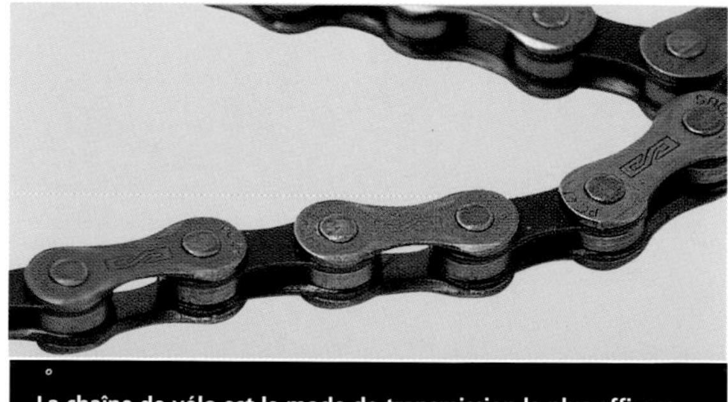

La chaîne de vélo est le mode de transmission le plus efficace.

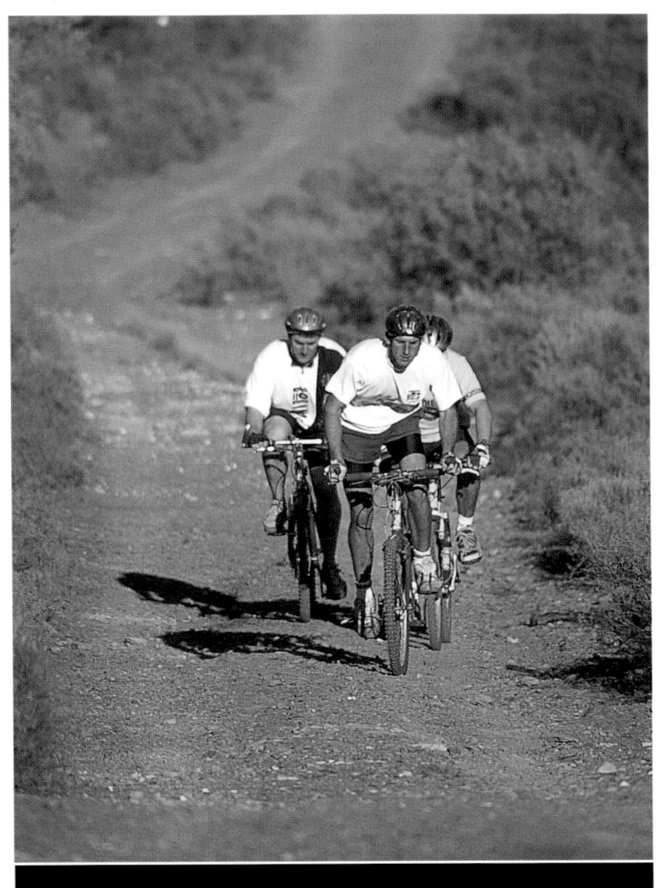

Les chemins en terre battue peuvent ressemblerà des routes goudronnées.

La maîtrise du terrain

La pratique du vélo de montagne consiste essentiellement à piloter son vélo sur toutes sortes de terrains.

Les chemins « blancs »

Les chemins « blancs » sont les plus faciles et les plus confortables. Comme le terrain est semblable à une route pavée – et même meilleur quelquefois –, cette facilité permet une progression rapide. Mais n'oubliez pas que le chemin de terre battue peut devenir glissant s'il est mouillé, ou qu'il peut être recouvert de gravier ou de feuilles.

Les terrains rocailleux

Les cailloux font perdre l'équilibre et rendent la conduite difficile. Vous devez affûter votre technique, rester détendu et apprendre à choisir la trajectoire la plus sûre. La meilleure manière de rouler en terrain rocailleux est de se laisser dériver comme si vous surfiez.

La descente : suivant la nature de la piste, vous pourrez traverser aisément un passage rocailleux en prenant de la vitesse et de l'élan. Plus vous irez vite et plus cela deviendra facile. Vous devrez néanmoins « lire » le terrain sur lequel vous roulez.

La montée : ce n'est pas la peine de rester en selle sur une piste rocailleuse, car vous serez inévitablement désarçonné. Sur un tronçon court, levez-vous de la selle en vous ramassant sur le guidon (pour conserver un centre de gravité bas) et en vous collant au vélo. De cette façon, vous aurez plus de dextérité pour équilibrer le vélo, plus de force d'appui et plus de contrôle de la roue avant. En abaissant les coudes, vous empêcherez la roue avant de se lever.

Les obstacles auront une incidence sur votre équilibre, sur votre force d'appui et sur le contrôle de votre vélo.

Les montées

Retenez que pour monter, « l'important ce n'est pas la façon dont on commence, mais la façon dont on termine ».

Les petites côtes raides

Ces côtes doivent être montées avec énergie. L'effort est bref et intense, mais la position est cruciale. Prenez de l'élan pendant la montée pour pouvoir arriver jusqu'en haut. Les côtes raides commencent souvent après un virage serré, ce qui signifie que vous n'avez pas d'élan, mais la difficulté consiste à maintenir une bonne adhérence au sol. Il vous faut trouver une position qui vous permette de garder suffisamment de poids à la fois sur la roue arrière et sur la roue avant, pour que le vélo ne se cabre pas.

Les grandes côtes

Les grandes côtes ne nécessitent pas autant d'énergie et d'adresse que les côtes raides, mais respectez néanmoins quelques règles.

■ Trouvez une position confortable que vous pourrez garder pour la durée de la montée (de de trois à trente minutes).

■ Commencez à une allure que vous pourrez conserver. Attaquez lentement sur un braquet adapté. Il sera toujours temps d'accélérer plus tard et de choisir une vitesse plus longue pour arriver au sommet.

■ Basculez le poids du corps sur l'arrière de la selle pour que vos jambes aient plus de force d'appui sur les pédales.

■ Décontractez le haut du corps pour pouvoir dispenser de l'énergie et vous concentrer sur la montée.

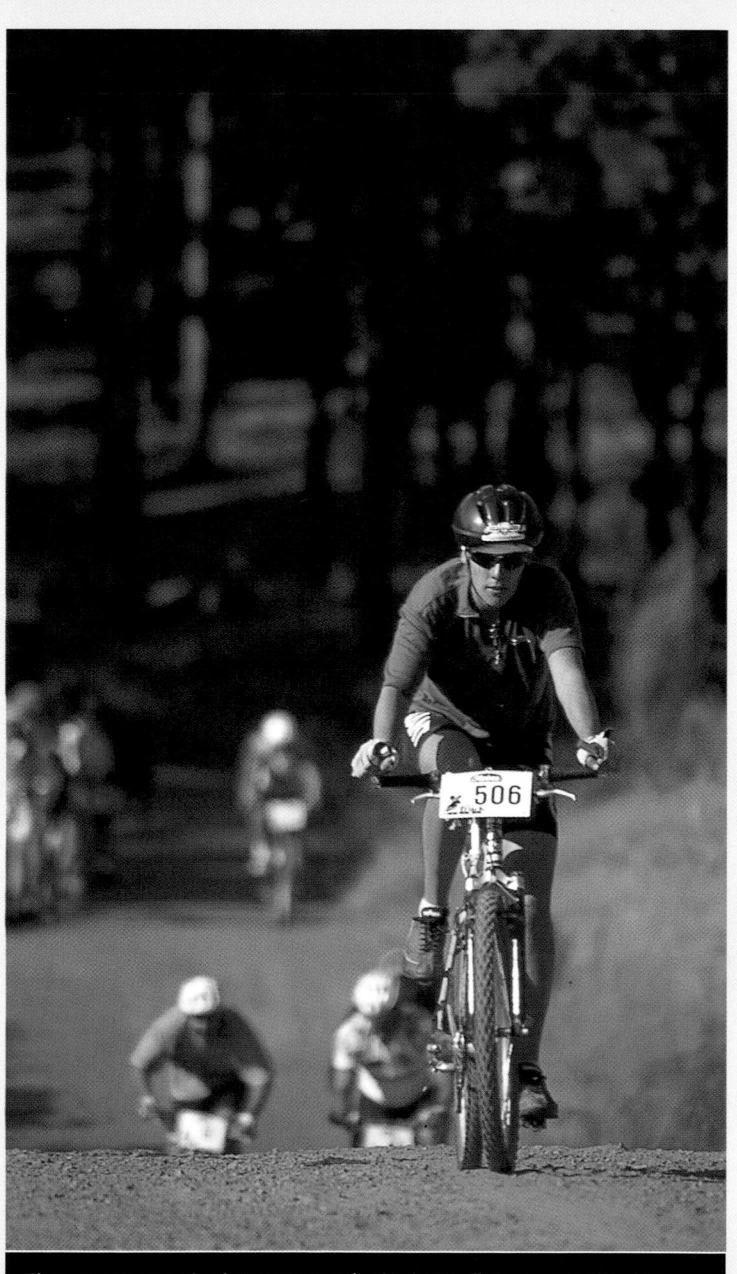

Si vous commencez à grimper une grande côte à une allure que vous êtes incapable de maintenir tout au long de la montée, vous vous apercevrez que vous vous fatiguerez assez rapidement.

Si vous vous trouvez face à de grands tronçons de pistes impraticables, il vaut mieux porter votre vélo.

Le sable

Les longues étendues de sable sont souvent impraticables et vous devez porter votre vélo. En revanche, il est possible de traverser à grande vitesse des petits passages sablonneux.

À l'approche d'une zone sablonneuse, anticipez et prenez de la vitesse. Avant d'atteindre le sable, redescendez de une ou deux vitesses et basculez le poids du corps vers l'arrière pour que la roue avant soit « légère » et ne s'ensable pas. Pédalez de façon régulière, avec assez de puissance pour maintenir votre vitesse, et ne « pilotez » pas en tournant le cintre. Il s'agit de traverser la zone sablonneuse aussi vite que possible, sans vous enliser. Quand vous rencontrez du sable, vous pouvez aussi rouler sur les côtés de la piste, là où le sol est plus dur. Le sable mouillé se traverse généralement sans trop de problème, si la roue avant est « légère » et le pédalage régulier.

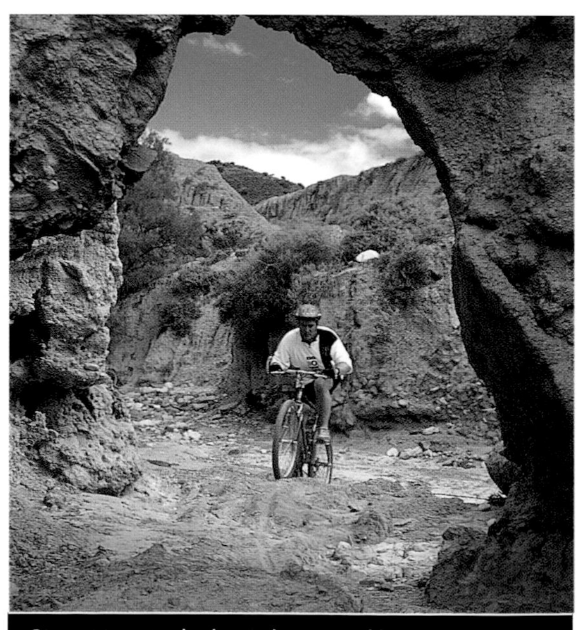

On peut traverser la plupart des zones sablonneuses à une vitesse relativement grande.

Les descentes

Retenez que pour descendre, « plus on va vite, plus cela devient facile » !

Les descentes raides

En maintenant le poids du corps très en arrière, vous n'aurez souvent aucun mal à négocier une pente. Si le frein arrière n'offre pas une puissance de freinage suffisante sans bloquer, utilisez le frein avant, mais avec modération (il est préférable de ne pas toucher du tout au frein avant). Il vous faudra peut-être basculer le poids du corps très en arrière jusqu'à la limite de vos bras et jusqu'à coller votre poitrine à la selle (baissez votre selle dès le début). Il est moins dangereux de tomber en arrière que de faire un soleil !

À l'enroulé ou en décollant

« À l'enroulé » signifie descendre avec la roue avant en premier alors que « en décollant une roue » signifie faire un wheeling au-dessus du bord et atterrir sur la roue arrière. Ces techniques avancées sont évoquées dans le chapitre 4 : En route pour l'aventure.

Les longues descentes

Ces descentes sont souvent celles qui procurent une montée d'adrénaline quand on les prend à bonne vitesse, mais faites très attention aux autres usagers de la piste et n'allez pas au-delà de vos possibilités. Sur les itinéraires classés comme descente, portez toujours un casque et des vêtements qui vous protègent et évitez de les descendre seul.

Maintenez le poids du corps en arrière pour pouvoir négocier avec succès une descente raide.

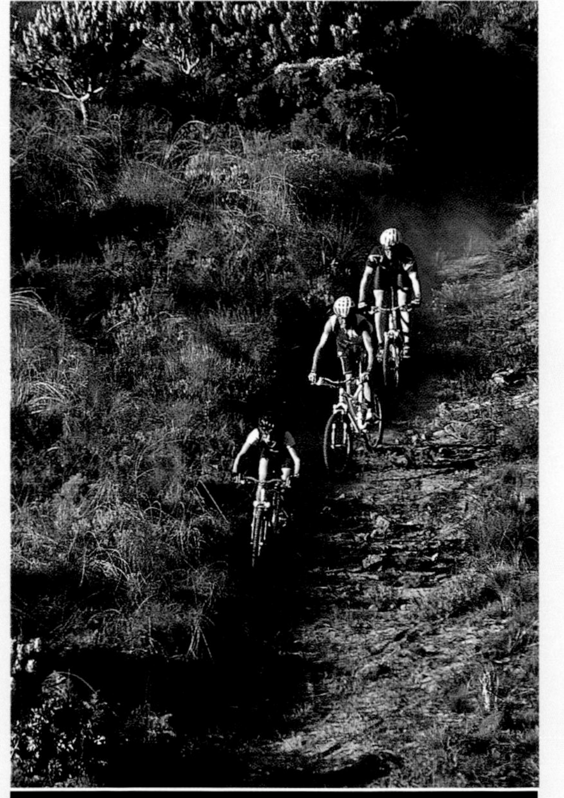

Comme la plupart des descentes, les descentes longues et rapides exigent une bonne technique, mais il est toujours préférable de pécher par excès de prudence.

La boue

À moins que vous n'ayez l'intention de ne rouler que par temps sec, attendez-vous à trouver des sols boueux ! Autant le savoir tout de suite, que ce soit dans les montées ou dans les descentes, vous glisserez beaucoup et vous n'aurez souvent d'autre solution que de porter le vélo. La boue a tendance à se coller sur le cadre à l'endroit où passe la roue, encrassant tout et collant aux pneus. En roulant dans l'eau dès que possible, vous pourrez nettoyer la boue. Évitez de bloquer les freins, cela vous ferait perdre encore plus d'adhérence.

Rouler dans ces conditions exige quelques adaptations au niveau de votre vélo et de votre équipement, et une bonne technique.

- Graissez la chaîne avec un lubrifiant spécialement conçu pour résister à la boue et à l'humidité.
- Vous devrez aussi adapter des pneus conçus pour la boue qui offrent une meilleure adhérence.

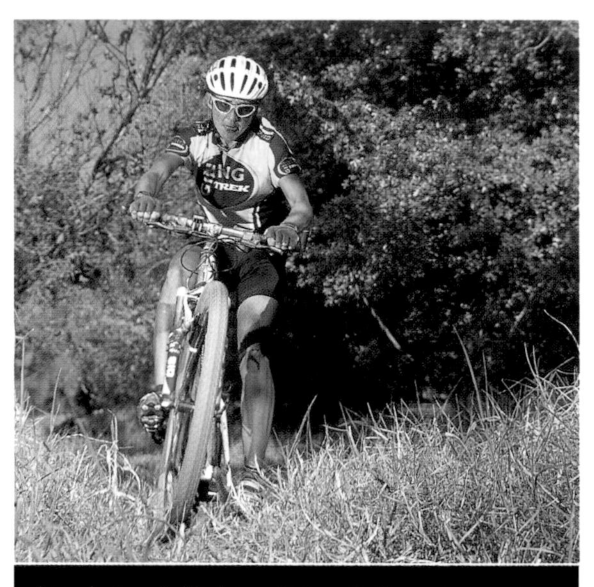

En roulant sur de l'herbe ou d'autres végétaux, vous aurez un rendement moindre, ce qui demande un effort physique plus important.

Si vous vous aventurez souvent en terrain boueux, pensez à vous munir de pneus et de lubrifiant spécialement conçus pour la boue.

- Si vous utilisez un système de pédales automatiques, il doit être capable d'évacuer la boue, sinon vous risquez de rester bloqué dans ou hors des pédales. Certains pilotes troquent leurs pédales automatiques contre des pédales normales, ou des pédales avec cale-pieds.
- Dans ces conditions, il est évidemment préférable d'utiliser un vélo muni de freins à disque plutôt qu'un vélo équipé de freins Cantilever ou V-brake.
- Avec des chaussures imperméables, vous aurez les pieds au chaud et au sec.
- S'il ne pleut pas, évitez les vêtements de pluie en matière plastique et préférez des vêtements qui respirent.
- Lavez soigneusement votre vélo après chaque randonnée, surtout si vous avez traversé des zones boueuses.

La végétation

Rouler sur une végétation dense (par exemple un tapis de feuilles ou d'aiguilles de pin en forêt, ou même de l'herbe) crée une résistance à la course du vélo.

Ne vous épuisez pas. Comme vous risquez aussi d'avoir moins d'adhérence, méfiez-vous de ce genre de terrain autant que des sols boueux.

Les virages

Une fois que vous aurez maîtrisé les principes fondamentaux, tant physiques que psychologiques, des virages, vous serez surpris de voir à quel point vous pouvez aller vite en plaçant correctement votre vélo et en « attaquant » le virage.

Essayez d'accélérer en sortie de virage à grande vitesse plutôt que de freiner.

Les virages à grande vitesse

Les virages à grande vitesse nécessitent un petit peu plus que du courage et de la volonté. Il faut d'abord se défaire de l'habitude instinctive de freiner dans le virage. Freiner a non seulement une incidence sur l'adhérence, mais la puissance de freinage a tendance à changer la trajectoire (dérapage), ce qui rend le maintien de cette dernière dans le virage encore plus difficile. Il vaut mieux aborder le virage à une vitesse qui vous semble raisonnable, et accélérer en sortie de courbe plutôt que d'avoir à freiner dans la courbe. Vous devez choisir une trajectoire et vous y tenir.

Un sol meuble signifiant un contrôle moindre, priorité devra être donnée à la technique de maniement.

Les virages sur sol meuble

Ils ne sont guère différents des virages à grande vitesse, mais vous avez encore moins d'adhérence et vous devez donc contrôler encore plus votre vélo. Vous pouvez éviter les chutes en décrochant le pied intérieur et en vous en servant comme troisième point d'appui pour vous stabiliser quand vous manquez d'adhérence. Il vous faudra de l'entraînement pour bien maîtriser cette technique.

En route pour l'aventure

Quel que soit l'usage que vous faites de votre vélo (course, randonnée ou simple moyen de transport), le vélo de montagne est un sport qui déçoit rarement. Vos progrès et votre audace grandissants, vous apprécierez de plus en plus la liberté et les nouvelles découvertes qu'il vous permet.

Les différentes disciplines

Rien ne procure d'exaltation plus intense que la course, et les pilotes de vélo de montagne ont le choix entre plusieurs disciplines attrayantes qui vont du cross-country au raid, en passant par la descente et le dual slalom. Toutes ces disciplines vous donnent l'occasion de passer encore plus de temps à vélo.

Le cross-country

Parmi les courses le cross-country est la discipline la plus courante et celle qui attire le plus grand nombre de concurrents, probablement parce qu'il s'adresse à un large éventail de cyclistes, des enfants aux professionnels endurcis en passant par les débutants et les passionnés.

La course en circuit

La course en circuit est la formule adoptée pour les championnats du monde et les compétitions olympiques. Les règles énoncent simplement que le pilote doit effectuer un certain nombre de tours sur un itinéraire balisé. Durant la course, le pilote ne peut se rafraîchir qu'en des lieux définis et ne doit accepter aucune aide extérieure. C'est le pilote qui doit emporter de quoi réparer et effectuer toutes les réparations. Il lui faut terminer la course avec le cadre et les roues avec lesquels il l'avait commencée. Le vélo peut être monté, porté ou poussé, et les pilotes doivent porter un casque pendant toute la durée de la course. L'une des raisons principales de l'engouement grandissant pour ce sport est qu'il n'est pas autant assujetti à la réglementation contraignante dont fait l'objet le cyclisme de route.

Ci-dessus : La course de cross-country fait partie des disciplines les plus populaires.
Ci-contre : Le trial est une discipline extrême.

Les courses en ligne et les raids

Pour les fans de vélo de montagne, les courses en ligne et les raids sont plus populaires que la course en circuit. Au lieu de faire des tours sur un itinéraire court, les pilotes effectuent une longue boucle.

Dans cette formule, quelques règles de la course en circuit sont laissées de côté: par exemple, les pilotes peuvent se rafraîchir à plus d'un point de l'itinéraire et peuvent être aidés par d'autres concurrents. Les courses de longue distance sont de loin celles qui sont les plus prisées des pilotes occasionnels, car elles sont surtout une course contre soi-même.

switch

Les épreuves de durée par équipes (ou en solo) 6 heures/12 heures/24 heures

On y applique les règles normales de la course en circuit mais par équipes. Les équipes ou les pilotes seuls essaient d'effectuer autant de tours de piste que possible en 24 heures. La nuit, des lumières sont utilisées. Et les pilotes peuvent programmer eux-mêmes leurs changements d'équipier (relais).

La descente

On peut définir la descente comme une « épreuve contre la montre », où les pilotes démarrent en un point élevé et suivent un itinéraire balisé pour finir à plus basse altitude. Ces courses sont plus techniques et mettent les vélos à rude épreuve.

Les compétitions contre la montre

Le contre-la-montre est la forme traditionnelle de la descente et est fondé sur le temps que met le pilote pour terminer la course. Dans certains cas, le pilote a le droit de faire deux ou trois passages et c'est le meilleur temps des deux ou des trois qui est pris en compte. Des courses de qualification déterminent les horaires de départ, et les pilotes les plus lents commencent avant les plus rapides.

Le boarder-cross

Dans cette course de descente, les pilotes prennent le départ par série et font la course jusqu'à la fin. Des tours de qualification déterminent les meilleurs pour la finale. Le gagnant de la dernière course est premier au classement général.

Le dual slalom

Rappelant les courses de BMX, c'est une course plus courte et plus élaborée qui comprend des sauts, des virages serrés et une série de portes du ski alpin à négocier. Chaque pilote suit un itinéraire identique et le processus éliminatoire est à peu près le même que dans le boarder-cross.

Les épreuves de vingt-quatre heures de nuit peuvent être à la fois une gageure et un plaisir, mais le fait de rouler dans l'obscurité est déjà en soi une épreuve.

La descente exige une bonne technique et beaucoup de courage, mais peu d'autres disciplines procurent autant d'émotions.

Comment (bien) tomber

Avec quelques principes élémentaires, vous tomberez moins souvent et vous saurez bien tomber.

Il n'y a aucune raison pour que vous tombiez si vous prenez les précautions adéquates. On peut éviter la plupart des chutes et réduire les blessures au minimum en respectant quelques règles simples.

■ **Stoppez la chute aussi vite que possible.** Imaginez que vous franchissiez la crête d'une colline et que vous soyez soudain confronté à une pente très érodée et pleine d'ornières qui donne sur un fossé rempli de cailloux. Si vous descendez trop vite et que vous ne pouvez pas vous arrêter à temps, il sera peut-être préférable de vous jeter de côté tant que vous êtes encore près du sommet de la colline (et de vous en sortir avec quelques écorchures et quelques bleus) plutôt que de foncer dans le fossé et de finir avec des blessures beaucoup plus graves.

■ **Rentrez bras et jambes, repliez-vous en boule.** Bien que ce soit plus facile à dire qu'à faire quand on panique, il est important de ne pas mettre les bras et les mains en avant pour amortir la chute. On se blesse facilement un membre de cette façon. Gardez bras et jambes serrés contre le corps et laissez le buste encaisser le choc. En vous roulant en boule (un peu comme vous l'avez peut-être appris au judo), vous devriez vous en sortir à moindre mal.

■ **Accompagnez l'élan.** Ne luttez pas contre la chute; accompagnez simplement l'élan et tenez jusqu'à la fin. À l'atterrissage, roulez sur le sol jusqu'à ce que vous vous arrêtiez. En dérapant, vous ne feriez qu'abîmer vos pneus et vous blesser. Évidemment, si vous ripez vers une falaise ou un versant escarpé, n'hésitez pas à déraper – et cherchez un obstacle qui puisse bloquer le dérapage et vous permette de vous arrêter.

■ **Laissez le vélo amortir certains chocs.** Il est quelquefois préférable de vous laisser partir avec le vélo pour qu'il amortisse votre chute. On peut remplacer des éléments endommagés du vélo – mais pas des parties du corps.

■ **Éjection du vélo par l'arrière.** Si vous êtes dans une descente et que vous sentez que vous allez tomber et devoir sauter, abandonnez simplement le vélo en vous laissant glisser par l'arrière. Le vélo finira par s'arrêter et, sans votre poids, il se peut qu'il ne soit même pas abîmé.

■ **Évitez de tomber directement sur l'épaule.** Si vous tombez sur l'épaule, vous souffrirez certainement d'une fracture de la clavicule ou pis. Si vous heurtez un obstacle sur le côté, essayez de tomber en avant ou en arrière, où vous avez moins de risques de tomber sur l'épaule.

Les techniques évoluées

Les chutes sont à l'adepte du vélo de montagne ce que les embouteillages sont au conducteur automobile, inévitables. Cela arrive à tout le monde, même aux professionnels. Une fois que vous l'aurez admis, vous serez prêt à apprendre des techniques plus complexes.

Le bunny hop (phase 1) : Concentrez-vous sur l'obstacle bien avant de l'atteindre, et abordez-le à une vitesse raisonnable. Décontractez-vous et fléchissez bras et jambes de façon à être recroquevillé sur le vélo.

Le bunny hop (phase 2) : Avant que la roue avant rencontre l'obstacle (50 cm), compressez l'avant du vélo en donnant une poussée vers le bas. Lancez-vous vers le haut et vers l'avant en détendant brusquement bras et jambes. Levez le guidon.

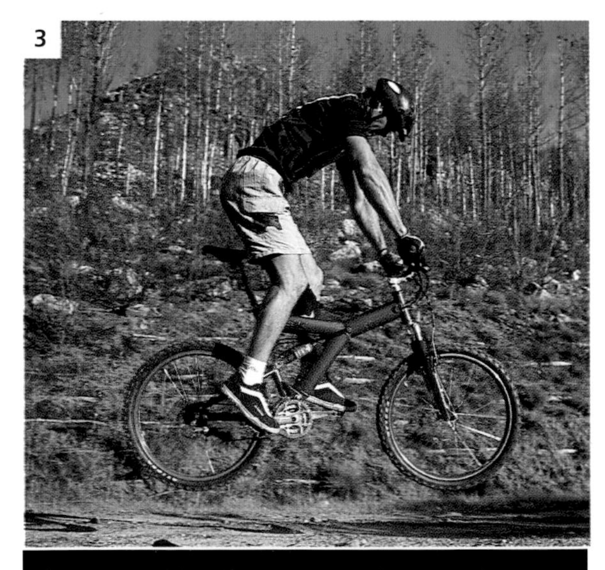

Le bunny hop (phase 3) : Au moment où la roue avant passe l'obstacle, repoussez le guidon vers l'avant et tirez vers l'arrière et vers le haut avec les pieds (les pédales SPD sont là d'un grand secours). La roue arrière devrait quitter le sol et suivre le chemin de la roue avant.

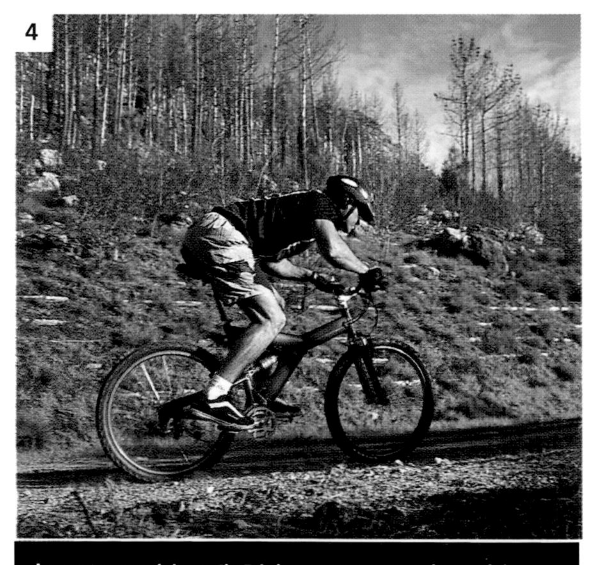

Le bunny hop (phase 4) : Déplacez votre centre de gravité en ajustant le poids du corps vers l'avant ou vers l'arrière. En déplaçant le poids du corps vers l'avant, vous rabattrez la roue avant ; en le déplaçant vers l'arrière, vous lèverez la roue avant. Le but est d'atterrir sur la roue arrière d'abord, puis de laisser la roue avant toucher terre.

Le bunny hop

Le bunny hop est très précieux pour surmonter des obstacles sans ralentir la progression ou perdre de la vitesse. Ce saut est la plupart du temps indispensable pour franchir un obstacle sur une piste où il n'y a pas de tremplin qui puisse vous aider à décoller du sol.

Le concept du bunny hop est relativement simple et il suffit de s'entraîner le plus possible. Commencez avec des obstacles petits et faciles et intensifiez leur difficulté au fur et à mesure de vos progrès et de votre assurance grandissante.

Le saut avec tremplin naturel

Tout comme pour le bunny hop, il faut avant tout se détendre sur le vélo. Commencez avec des sauts que vous pensez pouvoir maîtriser, et travaillez votre technique avant de passer à des sauts plus compliqués.

En décollant d'un tremplin, vous pourrez sauter à une bonne distance avant de toucher terre. Comme pour le bunny hop, il y a trois phases distinctes: l'approche, le saut et l'atterrissage.

L'approche: Regardez loin devant vous pour voir l'appel suffisamment à l'avance. Détendez le corps et courbez-vous sur le vélo en fléchissant bras et jambes.

Le saut: Au moment du saut, vous devez vous redresser rapidement car, quand vous obligez le vélo à décoller, il a tendance à se cabrer. À ce stade, fléchissez de nouveau bras et jambes pour que le vélo puisse rester en hauteur et près de vous. En même temps, gardez le poids du corps vers l'arrière pour permettre à la selle de remonter vers votre estomac. Quand vous êtes en l'air, repoussez le vélo mais gardez bras et jambes légèrement fléchis pour être en mesure de les plier à l'atterrissage.

L'atterrissage: Il est déterminé par deux phases, l'atterrissage du vélo et celui du pilote. Bien que ce ne soit pas toujours possible, laissez d'abord la roue arrière toucher terre, puis la roue avant. Une fois que les deux roues sont au sol, votre poids vient reposer sur le vélo. Gardez les bras et les jambes fléchis et transférez progressivement tout votre poids sur le vélo. Et vous voilà à terre!

1

Le saut avec tremplin naturel (phase 1): L'approche.

2

Le saut avec tremplin naturel (phase 2): Le saut.

3

Le saut avec tremplin naturel (phase 3): L'atterrissage.

Les montées

En dehors de votre forme physique et de votre force, une bonne technique est indispensable pour vaincre presque toutes les montées. Pour continuer à avancer et à monter, quatre paramètres sont fondamentaux: la force et la transmission de la puissance, la vitesse de progression et l'adhérence. Déplacement et mouvement sont en corrélation directe avec la force et la forme physique, tandis que l'adhérence est liée à la technique, au type de pneus, à la répartition de votre poids et à la pression des pneus.

Les côtes raides avec mauvaise adhérence

Pour continuer à rouler dans ce genre de montée, il faut trouver le bon équilibre entre la répartition du poids, la position, la force, la technique de pédalage et la meilleure trajectoire.

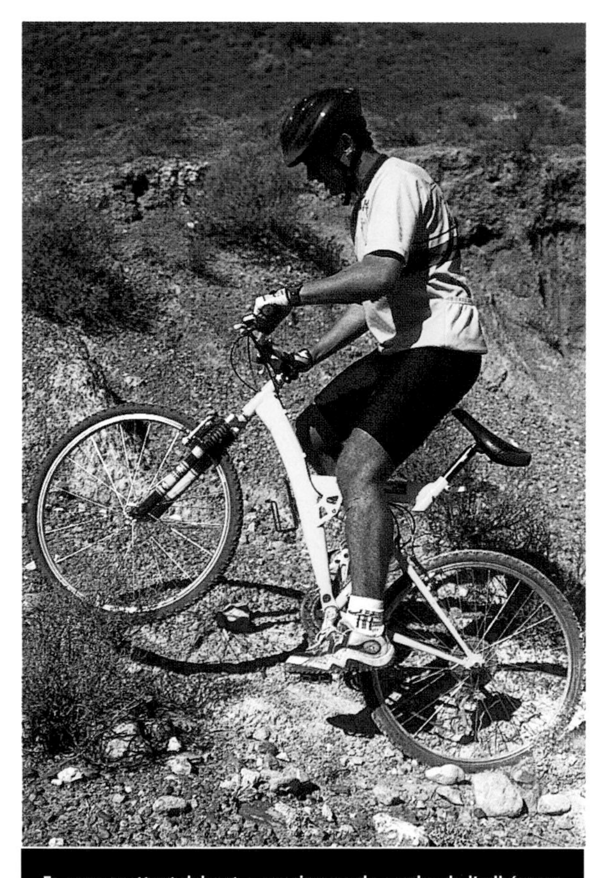

En vous mettant debout, vous risquez de perdre de l'adhérence.

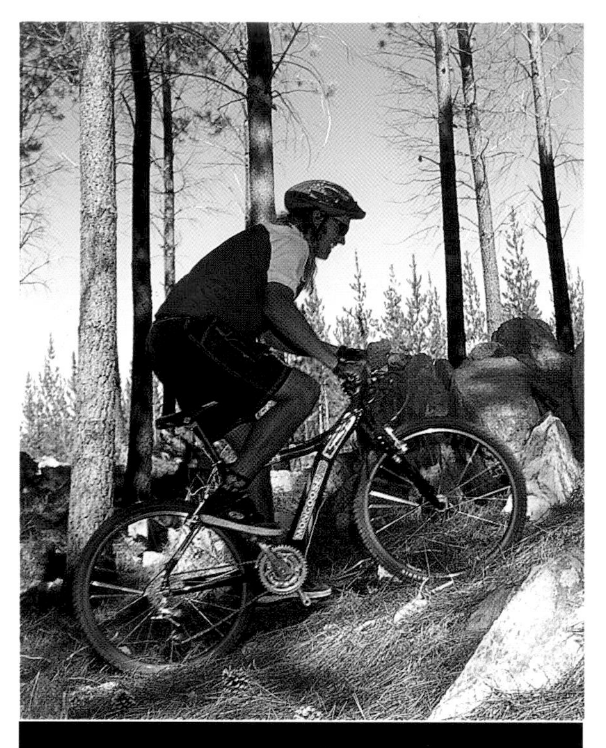

La position du corps, le contrôle et la force jouent un rôle fondamental dans la maîtrise des montées techniques.

La répartition du poids: La plupart des pilotes ont tendance à se mettre debout dans les montées raides et difficiles. C'est une méthode qui fonctionne sur un sol dur offrant une bonne adhérence, mais, dans des conditions typiques de tout-terrain, la situation est nettement différente et c'est là que la technique intervient de façon déterminante. En reculant sur la selle, vous basculerez plus de poids sur la roue arrière, ce qui donnera une meilleure adhérence mais fera aussi lever la roue avant. Vous aurez ainsi plus de mal à guider le vélo, qui aura tendance à basculer en arrière. En basculant le poids du corps vers l'avant, vous maintiendrez la roue avant au sol, mais la roue arrière patinera et vous immobilisera.

La position: Il vous faut aussi déplacer le poids du corps en fonction du terrain. Si vous vous retrouvez perché à l'extrémité de la selle pour avoir une répartition optimale du poids, pensez à garder les coudes en dessous du niveau des poignées du guidon, comme si vous vouliez tirer le guidon vers le bas. Même si la position n'est pas

Le choix de la bonne trajectoire est crucial.

toujours très confortable, elle vous aidera à maintenir la roue avant plaquée au sol.

La technique de pédalage : Pour faire avancer le vélo, il faut que la transmission reçoive une force régulière et constante. Si vous forcez trop, vous aurez une moindre adhérence ; si vous n'en faites pas assez, vous ralentirez ou vous vous immobiliserez. Si vous écrasez les pédales au lieu d'effectuer un pédalage sans à-coups, la roue va patiner et vous perdrez de l'adhérence.

Les montées « trialisantes »

Toutes les règles qui s'appliquent aux côtes raides sont également valables pour les montées « trialisantes ». Il faut trouver la bonne trajectoire et, en plus, progresser avec précaution parmi les cailloux, les ornières et les racines. Étudiez le sol à environ 5 m de la roue avant, et choisissez la meilleure trajectoire. Restez concentré sur la ligne que vous avez choisie et n'opérez pas de changement de dernière minute.

Les grandes montées

Vous appliquerez ici aussi les règles générales, tout en les nuançant en fonction des exigences du terrain. Toutefois, étant donné que la montée peut se prolonger sur une assez grande distance, il est important que vous dosiez votre effort et choisissiez une vitesse et un braquet adaptés pour toute la durée de la montée.

Au départ, vous n'aurez peut-être pas la force d'atteindre le sommet de certaines montées mais, en roulant régulièrement, vous ferez vite des progrès. Essayez d'abord de ne pas penser à la montée dans son intégralité, mais concentrez-vous sur une petite portion raisonnable que vous achèverez avant de passer à la suivante.

Et n'oubliez pas qu'il est plus important de terminer la montée que de s'inquiéter du « chrono ». Quand vous grimperez avec assurance la plupart des côtes, il sera temps de travailler la vitesse.

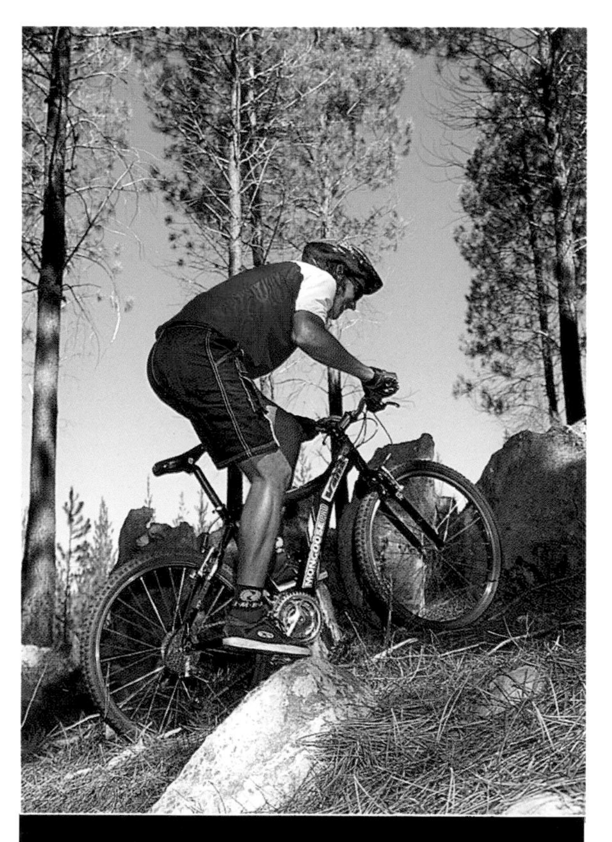

Des montées difficiles vous obligeront peut-être à vous courber dans toutes sortes de positions pour conserver l'adhérence et continuer à faire avancer le vélo.

Le redémarrage en côte raide avec mauvaise adhérence

Il est très difficile de redémarrer après avoir dérapé dans une montée. Il vous faudra peut-être descendre de vélo et reculer, ou avancer un peu pour trouver une place propice au redémarrage. Cherchez une zone où le sol est plus plat, où vous trouverez une meilleure adhérence, une plaque rocheuse par exemple. Choisissez une vitesse pas trop grande, généralement la plus petite. Commencez avec votre jambe d'appui (souvent la plus forte) et les freins serrés. Puis, appuyez sur la pédale en relâchant progressivement les freins. Au moment où le vélo avance, mettez l'autre pied sur la pédale et pédalez doucement, en accélérant jusqu'à ce que vous soyez de nouveau sur la piste. Une autre technique consiste à mettre le vélo en diagonale par rapport à la piste, puis à reprendre votre trajectoire au moment du démarrage.

En sachant redémarrer à petite vitesse dans des montées raides, vous garderez un rythme constant tout au long du parcours.

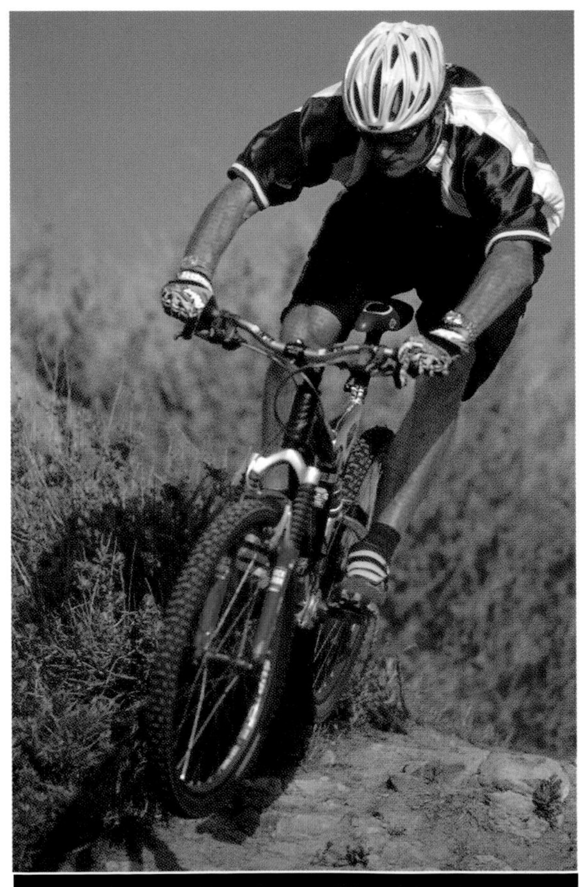

Pour garder le contrôle en descente, il faut de la technique et de la vigueur dans le haut du corps.

Les descentes

Restez souple. Si vous roulez bras et jambes raides, vous serez secoué dans tous les sens et le vélo rebondira sur la piste.

En position ramassée, jambes et coudes légèrement fléchis et les fesses reposant légèrement sur la selle, vous roulerez plus vite, tout en étant plus confortable et en contrôlant mieux le vélo. En gardant le poids du corps légèrement en arrière de la selle, le cadre aura plus d'amplitude pour amortir les secousses. Baissez la selle d'environ 3-4 cm pour avoir plus d'aisance.

Concentrez-vous sur la trajectoire choisie, pas sur les obstacles du chemin.

Les petites descentes rapides

Dans ce genre de descente, vous pouvez généralement voir jusqu'en bas du chemin, et choisir ainsi une trajectoire jusqu'au point le plus bas. Vous pouvez donc aller aussi vite que le permet le sol pendant toute la descente et garder le plus d'élan possible pour remonter de l'autre côté. Vous devez choisir une trajectoire et vous y tenir.

Les longues descentes

Dans les longues descentes, attendez-vous à un mélange de technique et de terrain relativement facile. Comme il est peu probable que vous soyez en mesure d'évaluer la descente dans son intégralité à partir de votre point de départ, il faut la percevoir comme une sorte de « fenêtre en mouvement ».

Regardez bien devant vous (à environ 15 m, selon votre vitesse, ou au moins aussi loin que le permet la visibilité) et choisissez la trajectoire que vous avez l'intention de suivre. Restez fidèle à cette trajectoire et prolongez-la mentalement au fur et à mesure que vous avancez sur le terrain. Cela peut paraître une tâche ardue, mais elle deviendra automatique quand vous aurez roulé un peu.

Commencez la longue descente à un rythme que vous pourrez conserver et résistez à la tentation d'« attaquer trop fort », car la fatigue s'installe et peut être source de chutes.

Les descentes techniques

Vous ne devez pas dévaler ces descentes à grande vitesse sans avoir au préalable soigneusement reconnu le terrain, car il faut vous familiariser avec les obstacles pour les passer sans encombre. Même si vous avez l'habitude du terrain, faites une reconnaissance à petite vitesse afin d'éviter les mauvaises surprises.

Les professionnels de la descente effectuent souvent une reconnaissance du parcours à pied, et s'entraînent sur chaque obstacle jusqu'à ce qu'ils aient trouvé la meilleure « ligne ». Il est recommandé de visualiser la longueur totale du parcours avant de faire le passage.

Quand vous vous attaquez à des descentes techniques, munissez-vous de protections supplémentaires : un casque de descente, des gants, un pare-pierres et un pantalon de protection (comme ceux de motocross).

Les descentes en lacets

La descente en lacets consiste en une série de petites descentes qui ne sont pas suivies de côtes. Il faut donc contrôler votre vitesse en prévision du prochain virage en épingle à cheveux et des surprises qu'il pourrait vous réserver.

La meilleure technique est de prévoir votre trajectoire, d'un tournant à l'autre, tout en gardant, à la fin de chaque tronçon, une certaine distance pour le freinage et la négociation du virage.

Vous devez éviter de freiner pendant le virage, ce qui, en modifiant votre centre de gravité, vous rejetterait à l'extérieur du virage, rendant plus difficile la négociation de la courbe.

Comme vous pouvez voir tout le tronçon d'une petite descente avant de vous y attaquer, vous pouvez planifier votre itinéraire et conserver votre élan pour grimper de l'autre côté.

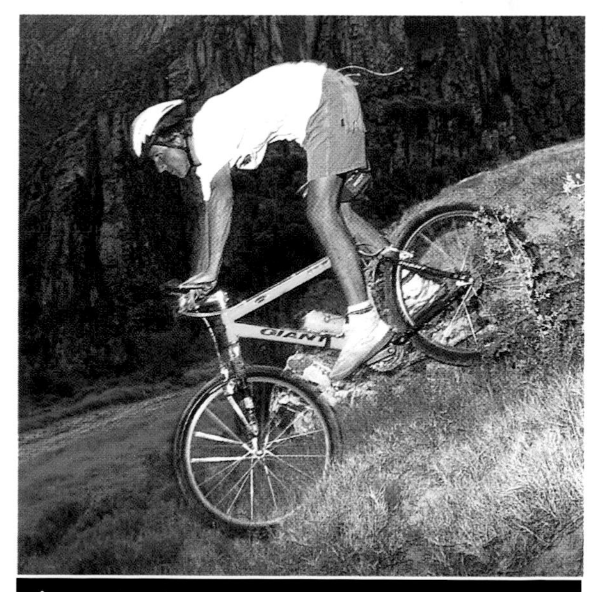

Être souple et décontracté vous aidera à garder le contrôle en descente.

L'ENROULÉ (phase 1) : Cherchez une trajectoire propice que vous aborderez à vitesse réduite (rouler tranquillement fera l'affaire). Au moment où la roue avant passe par-dessus le bord de la déclivité, basculez le poids du corps le plus possible vers l'arrière et au-dessus de la selle et n'utilisez que le frein arrière (tout du moins au départ – vous pourrez toujours faire un usage limité du frein avant plus tard).

L'ENROULÉ (phase 2) : Une fois que vous êtes dans la descente, étirez le torse et les jambes en les gardant un peu fléchis et freinez légèrement avec le frein arrière (faites attention à ne pas le bloquer). En gardant le poids du corps en arrière, vous aurez plus d'adhérence. Quand vous arrivez sur terrain plat, ramenez le poids du corps en avant sur la selle.

Descendre l'obstacle à l'enroulé

Comme la descente fait partie de la pratique du vélo de montagne au même titre que la boue et les montées, il vous faut savoir quand choisir de passer l'obstacle à vélo ou à pied. L'enroulé est l'une des façons de descendre des pentes raides. Il vous suffit de mettre le poids du corps le plus en arrière possible et de laisser le vélo dévaler par-dessus le bord. Il est préférable d'utiliser l'enroulé dans des déclivités avec une pente suffisante pour que la roue avant puisse rouler sans rester bloquée dans un fossé. N'utilisez pas cette technique sur des pentes très raides, presque verticales.

Descendre en roue arrière ou en pogo

La descente en roue arrière est une technique utilisée dans des pentes particulièrement raides, presque verticales, qui se terminent par un plan horizontal.

DESCENDRE SUR LA ROUE ARRIÈRE (phase 1) : Au moment où vous approchez du bord de la déclivité, faites passer le poids du corps sur l'arrière et préparez-vous simultanément à tirer en arrière sur le guidon et à donner un solide coup de pédale pour lever l'avant du vélo.

DESCENDRE SUR LA ROUE ARRIÈRE (phase 2) : Vous devez aborder la déclivité à une vitesse raisonnable. Si vous n'allez pas assez vite, la roue avant va tomber dans la déclivité, et si vous allez trop vite, vous serez emporté trop loin du bord et vous aurez un choc à l'atterrissage qui se soldera par une chute ou endommagera votre vélo (il est précieux ici de déjà maîtriser le wheeling).

Le terrain

Une bonne compréhension des éléments de base des différents types de terrain vous aidera à avoir confiance en vous.

Les gros cailloux et les rochers

Il vaut mieux éviter les gros cailloux en les contournant quand c'est possible, ou en les sautant quand leur taille et la zone d'atterrissage le permettent en toute sécurité. À faible vitesse et avec des rochers plus gros, vous pouvez utiliser une technique spéciale pour monter les marches rocheuses ou les grosses racines. L'enchaînement des actions exige que vous abordiez tranquillement la marche ou le rocher (il sera toujours temps d'accélérer quand vous aurez assimilé la technique) et dans une vitesse raisonnable (petit plateau et milieu de cassette).

Les petits rochers et les pierres

Ce type de terrain est une épreuve pour tous les pilotes, car il s'apparente au roulement à billes et fait souvent partir le vélo en glissade. Il devient très difficile de braquer et de freiner, et il faut apprendre à garder la maîtrise de son vélo dans ce genre de situation. Il faut

Phase 1 : Juste avant que votre roue avant rencontre l'obstacle, tirez le cintre vers le haut et réalisez simultanément un fouetté de coup de pédale comme si vous faisiez un wheeling. Levez la roue avant suffisamment haut pour qu'elle puisse monter sur le rondin.

Phase 2 : Une fois que la roue est bien sur le rondin, déplacez le poids du corps vers l'avant aussi loin que possible pour garder l'élan et alléger la roue arrière (en bougeant momentanément le corps pour enlever tout le poids).

Phase 3 : Si vous continuez à pédaler, la roue arrière va toucher l'obstacle. Comme votre poids est en grande partie sur la roue avant et que vous avez gardé votre élan, la roue arrière va monter sur le rondin.
Vous pouvez maintenant replacer le poids du corps en position normale.

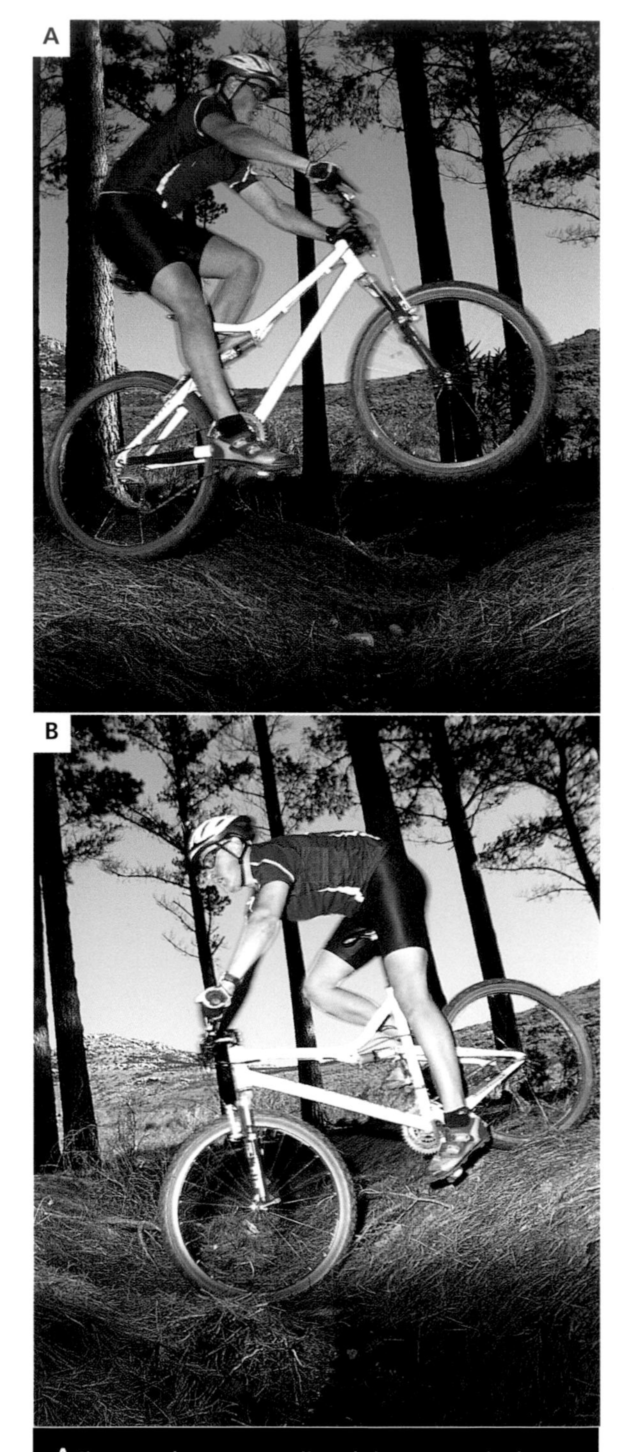

A Si vous tombez sur une ornière relativement peu étroite et peu profonde, la solution la plus simple sera peut-être de la sauter à vélo.
B Même si des ornières larges et profondes nécessitent des manœuvres délicates, tout dépendra de la position de votre corps.

surtout vous souvenir que, sur des cailloux ou des pierres roulantes, vous ne pouvez pas contrôler le vélo aussi bien que sur un sol ferme. Vous devez donc apprendre à rester décontracté et à suivre le mouvement, pour guider votre vélo (plutôt que le diriger) d'un tronçon de sol ferme au suivant. Pour ce faire, vous devez choisir un point sur votre trajectoire, le viser et vous lancer ! Il est presque inutile d'essayer de diriger quoi que ce soit, et le seul moyen de changer de direction consiste à basculer le poids du corps d'un côté et de l'autre pour pousser le vélo dans une nouvelle direction.

Vous devez aussi reconsidérer vos habitudes de freinage. En descente, vous devez garder le poids du corps vers l'arrière, de façon à obtenir une meilleure adhérence de la roue arrière. Évitez de trop utiliser le frein avant (surtout dans les virages) et n'insistez pas plus que nécessaire sur l'adhérence de la roue avant. Essayez d'utiliser le frein arrière et ne faites qu'un usage limité du frein avant.

Prenez garde à ne pas bloquer les freins, car les pierres et les cailloux pourraient alors rouler sous vos roues, vous faire prendre de la vitesse et vous faire perdre le contrôle du vélo.

Les ornières

Essayez toujours de franchir les ornières en gardant le vélo aussi droit que possible. Si vous restez coincé, vous tomberez inévitablement. Vous pouvez sauter par-dessus les petites ornières (*voir* p. 43), mais vous devrez aborder différemment les ornières plus importantes. Si l'ornière est suffisamment large, vous pouvez simplement la franchir en dégageant le poids du corps de la roue avant au moment où elle atteint l'ornière, puis en poussant la roue dans l'ornière, et en la faisant sortir d'une secousse quand elle atteint l'autre côté de l'ornière. Continuez simplement à pédaler tout en basculant le poids du corps vers l'avant. Cette technique est proche de celle conseillée pour monter sur de gros rochers mais vous guidez la roue avant dans un creux et non sur un obstacle.

Ce sont les ornières en V, causées par le ruissellement, qui sont les plus difficiles à franchir. Elles ont généralement 50 cm de large et sont assez profondes. Vous pouvez porter le vélo ou faire un wheeling de la roue avant pardessus l'ornière, et basculer légèrement le poids du corps vers l'avant juste avant que la roue arrière touche l'ornière, puis continuer à pédaler jusqu'à ce que vous en soyez sorti.

Si vous êtes coincé dans une ornière dans le sens de la longueur, cherchez un endroit où les côtés ne sont pas trop hauts, et sortez le vélo de l'ornière en ce point. Vous pouvez aussi faire un bunny hop latéral (*voir* pp. 42 et 43).

Le sable

Les landes de sable peuvent être impressionnantes, mais la technique ressemble beaucoup à celle utilisée pour rouler sur des cailloux. Inutile de manœuvrer car la roue avant s'enfoncera et vous ne pourrez pas changer de direction. Voici ce qu'il faut faire :

- Abordez la bande de sable aussi vite que possible. Gardez le poids du corps en arrière et visez l'endroit que vous voulez atteindre.
- Maintenez votre vitesse en pédalant régulièrement. Rouler sur du sable dense ressemble beaucoup au surf. Et les traces faites par les vélos ou les voitures qui vous ont précédé sont d'un roulage plus facile car le sol est tassé.

Les racines

Les racines d'arbre sont un piège, surtout quand elles coupent la piste en diagonale dans une pente. Les racines mouillées ne font qu'aggraver les choses. Vous pouvez alors soit porter votre vélo, soit faire un wheeling avec la roue avant, puis basculer le poids du corps vers l'avant pour que la roue arrière roule sur la racine. N'oubliez pas de relâcher la pression sur les pédales pour éviter de déraper.

Les rondins

Pour franchir des rondins, utilisez la même technique que pour franchir les rochers, la seule différence étant que, au moment où la roue arrière touche le rondin, la roue avant sera passée de l'autre côté.

Faites donc attention, à ce stade, à ne pas basculer le poids du corps trop en avant. On peut franchir les rondins de petite taille en utilisant le bunny hop (*voir* pp. 42 et 43).

Les rondins sont des obstacles difficiles. Commencez en douceur et choisissez des obstacles plus importants au fur et à mesure de vos progrès.

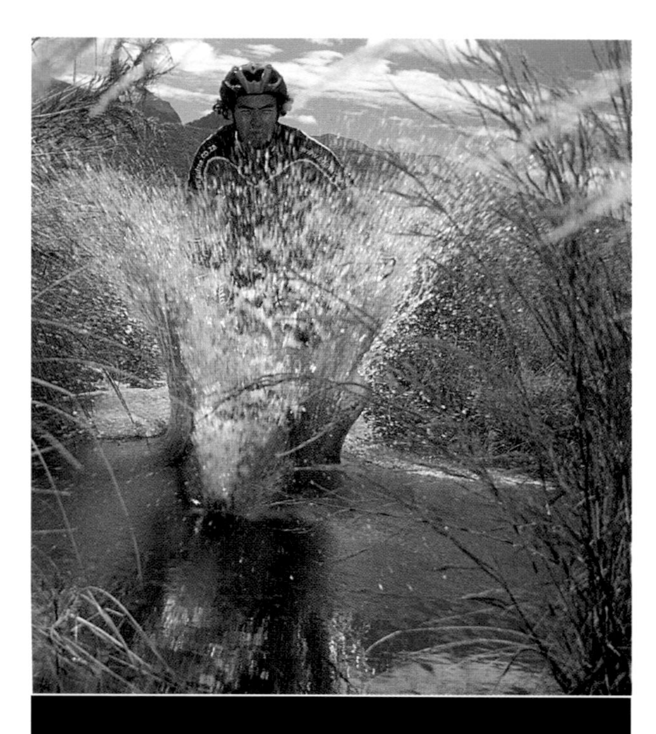

Traverser un cours d'eau peut être amusant – et rafraîchissant – mais méfiez-vous des rochers immergés, et pensez à entretenir régulièrement votre vélo si vous roulez souvent dans l'eau.

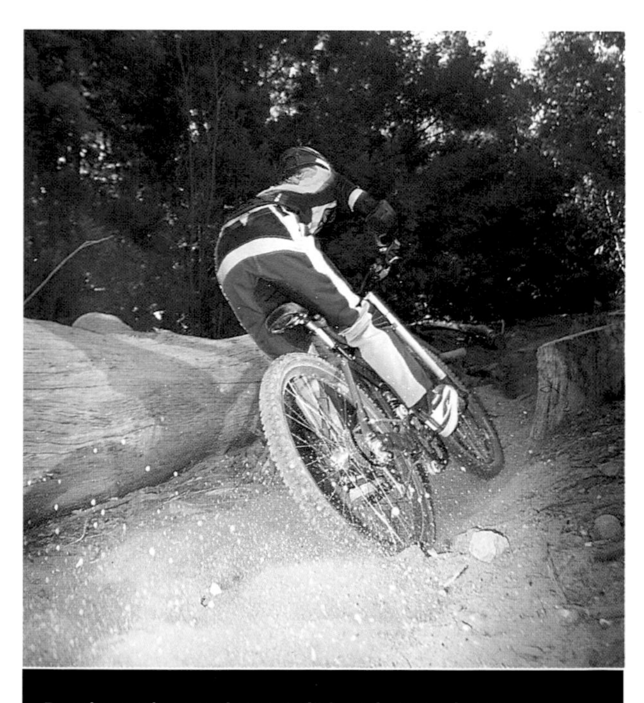

Dans les courbes, une bonne technique de tenue de route vous permettra d'aller vite et sans chute.

Les cours d'eau

Bien que l'idée de se rafraîchir en traversant un cours d'eau puisse être excitante, il vaut toujours mieux vérifier que l'eau n'est pas trop profonde et qu'il n'y a pas de trous ou de rochers sous la surface.

Si vous ne connaissez pas le passage ou si vous ne l'avez pas pratiqué depuis un certain temps, il est préférable de le traverser lentement ou, mieux, de descendre de vélo et de marcher. Selon Albert Iten, le célèbre gourou suisse de la descente: « Dans l'eau, il vaut mieux porter le vélo. L'eau et la boue vont influer sur votre mobilité. Il vaut mieux vous mouiller les pieds – ils sécheront toujours. »

Mais si vous êtes sûr que le passage est sans danger, allez-y à fond, sans oublier de garder le poids du corps en arrière.

Les virages

Même les pilotes qui roulent depuis un certain temps manquent souvent de technique et perdent de la vitesse en prenant des virages sur des chemins de terre ou des single tracks, et courent le risque de se « scratcher ». On peut décomposer la négociation d'un virage en trois phases: l'entrée, la courbe et la sortie. Vous devez prendre en considération tout à la fois la vitesse, le terrain et votre position sur le vélo.

Évaluer la situation

Vous portez parfois le vélo et c'est parfois le vélo qui vous porte. Fondez votre décision sur ce que vous imposent la situation et le terrain.

- Ne tentez pas de nouveaux passages délicats loin de chez vous, ou dans un endroit où il faudrait venir à votre secours.
- Ne tentez pas des gestes techniques quand vous êtes seul. Entourez-vous d'amis au cas où vous seriez blessé, mais aussi pour vous aider dans le franchissement et les parades.
- Ne vous attaquez pas à des obstacles si vous n'êtes pas sûr de vous et sans vous être entraîné.

■ 1 - La tenue de route dans les virages : l'entrée de courbe
En abordant le virage, essayez de « lire » le terrain. Vous devriez être capable d'évaluer la vitesse maximale à laquelle vous pouvez manœuvrer, de choisir la meilleure trajectoire et d'apprécier la qualité du sol qui influera sur l'adhérence et qui a aussi un rapport avec les deux éléments précédents. Abordez la courbe à une vitesse que vous êtes sûr de pouvoir maintenir et effectuez le virage en douceur. Il vaut d'ailleurs mieux aborder un virage trop lentement que trop vite. Il n'y a rien de pire que de freiner dans une courbe. Restez détendu sur le vélo et réalignez-vous sur votre trajectoire à ce stade-là.

■ 2 - La tenue de route dans les virages : la courbe
Arrivé à ce stade, vous devriez avoir défini votre trajectoire et être à la bonne vitesse. Au moment où le virage commence à tourner, basculez le poids du corps vers l'avant et vers l'extérieur, en entraînant le vélo avec vous. Essayez de placer votre poids au-dessus d'un point imaginaire situé entre le moyeu avant et les manivelles. En baissant les yeux sur ce point, vous devriez voir l'extérieur de la roue avant, avec le côté de la roue faisant face à l'extérieur de la courbe. Vous pouvez même laisser tomber un genou dans le virage, comme un concurrent de grand prix moto. Si le virage n'est pas trop serré et que le terrain est assez dégagé, vous pouvezvous risquer à donner quelques coups de pédales, s'il y a la possibilité de prendre un peu de vitesse. Certains pilotes préfèrent garder la pédale extérieure en bas et s'appuyer dessus pour mettre moins de poids sur la selle. Cela permet de rester plus détendu sur le vélo et d'avoir plus d'espace au sol, mais peut influer sur votre équilibre. Appuyez sur le côté du cintre qui est à l'intérieur de la courbe pour donner encore plus d'adhérence à la roue avant. Les pilotes de descente chevronnés gardent souvent les pédales au même niveau. Cela permet de rester en équilibre et d'accélérer en sortie de virage. Si vous devez vraiment freiner, évitez autant que faire se peut d'utiliser le frein avant, car la charge supplémentaire sur l'avant peut compromettre votre adhérence et faire chasser le pneu. On peut quelquefois utiliser le frein arrière pour déraper un petit coup de la roue arrière en bloquant le frein pendant une fraction de seconde. Sachez toutefois qu'il ne faut pas utiliser cette technique sur des pistes de loisirs car elle peut endommager la piste et être la cause d'une plus grande érosion par temps de pluie. Gardez-la pour la course, dans un environnement contrôlé.

■ 3 - La tenue de route dans les virages : la sortie
C'est le moment où vous pouvez reprendre de la vitesse si vous avez pris le virage trop lentement, ou même en gagner si vous l'avez pris à la vitesse optimale. Au moment où vous arrivez à la fin du virage et redressez progressivement le corps, vous pouvez commencer à appuyer beaucoup plus sur les pédales. En accélérant hors du virage, vous serez alors projeté vers l'avant. La pointe de vitesse à la sortie du virage vous donnera l'avantage sur les autres pilotes et vous propulsera à grande vitesse dans la ligne droite. Mais il est quelquefois plus sage de passer le virage moins vite et d'éviter une chute.

Être en forme et le rester

Le cyclisme est un sport à multiples facettes. C'est une discipline qui suppose d'avoir l'esprit un tant soi peu scientifique, en particulier pour saisir les principes d'entraînement sportif, et plus spécifiquement les règles des théories d'endurance. Le cyclisme est par ailleurs une activité dynamique, que l'on peut classer en diverses disciplines – le contre-la-montre, le vélo de route, la descente, le cross-country, etc. Des aspects tels que la nutrition, le travail du rythme cardiaque, et par-dessus tout la planification d'objectifs, jouent un rôle majeur sur le chemin du succès. Un examen plus approfondi de ces différentes composantes aidera tant le débutant que le cycliste confirmé à mieux préparer et apprécier son loisir.

La préparation en cinq points

La préparation mentale et physique passe par les points suivants:

La première étape consiste à planifier les objectifs.

À partir de ces objectifs, élaborer un plan d'action, qui définit l'attitude à adopter pour atteindre le but que vous vous êtes fixé.

Ce plan d'action vous donne la motivation nécessaire pour rester constant tout au long de l'effort. Si vous êtes motivé, vous vous «verrez» réussir en effectuant un travail de préparation mentale. Une pensée positive appelle la réussite, mais n'oubliez pas qu'il faut également travailler dur!

Il est extrêmement important que vous preniez du plaisir à relever le défi que vous vous êtes lancé. S'amuser et se faire plaisir: c'est ce qui fait tout l'intérêt du vélo de montagne.

Si vous êtes capable de vous conformer aux points énoncés ci-dessus, vous obtiendrez de nombreux succès et pourrez raconter vos prouesses à d'autres adeptes autour d'un feu de camp.

Le vélo de route a occupé le devant de la scène pendant de nombreuses années. Ce n'est qu'au cours des dix dernières années que le vélo de montagne s'est peu à peu imposé comme une activité à part entière. De nombreux coureurs professionnels se sont lancés dans l'aventure, apportant avec eux l'entraînement scientifique propre à leur discipline.

Aujourd'hui, les spécialistes du vélo de montagne sont des athlètes professionnels qui apportent un soin tout particulier à leur entraînement et à leur préparation. Cela a eu, naturellement, une influence considérable sur l'ensemble de la communauté des adeptes, et débutants comme pratiquants de niveau moyen s'appliquent à jouer le jeu dès le départ. Nous vivons à l'ère de la haute technologie, et des aides tels que les cardiofréquencemètres, les logiciels d'entraînement et les produits diététiques ont désormais leur place.

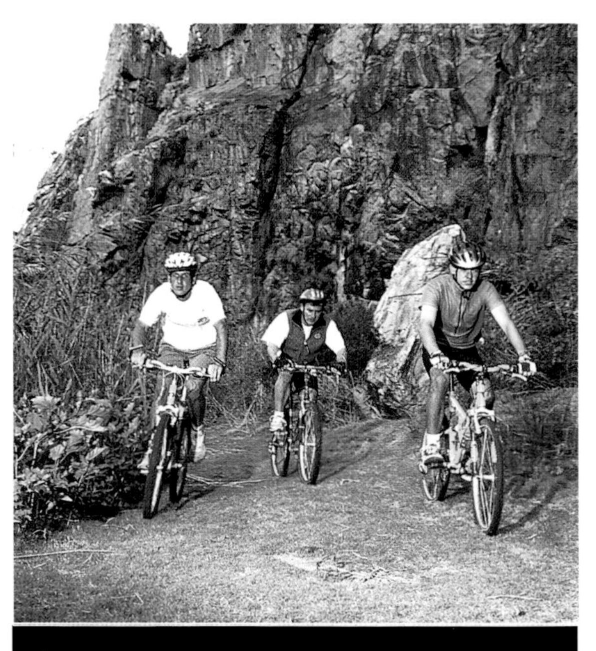

CI-DESSUS ET CI-CONTRE: Sortez régulièrement en groupe: vous y puiserez la motivation nécessaire pour continuer votre entraînement et atteindre les objectifs que vous vous êtes fixés.

Vos objectifs doivent être réalistes. Faute de quoi, vous perdriez rapidement votre motivation.

La planification des objectifs

Se fixer des objectifs sportifs est l'une des étapes les plus importantes pour tout athlète. Cela lui permet de déterminer les cycles d'entraînement pour obtenir des résultats conformes à ses aspirations. Quel que soit votre niveau, il est capital de respecter des principes d'entraînement.

La fixation d'objectifs est une affaire personnelle. On doit la considérer comme un contrat ou un accord que l'on passe avec soi-même. Si l'on en respecte les clauses, la réussite et le plaisir seront de la partie. En se fixant des objectifs, on se donne les moyens de réussir, mais il convient de ne pas perdre de vue les points suivants. Les objectifs doivent être :

■ **Personnels :** Si vous aimez particulièrement la descente mais que vous vous fixez comme but de remporter une grande course de cross-country uniquement pour faire comme tout le monde, vous allez au-devant d'une déception et/ou d'un échec.

■ **Progressifs :** Les objectifs doivent être à la fois systématiques et progressifs. Si on veut qu'ils le restent, il suffit de se fixer des objectifs à court terme (six mois), à moyen terme (jusqu'à un an) et à long terme (objectifs finals).

■ **Accessibles :** Rien ne sert de se fixer des objectifs qu'on ne peut pas atteindre. Rappelez-vous qu'un succès en appelle un autre.

■ **Réalistes :** Ce critère est étroitement lié au précédent. Vous ne pouvez qu'échouer si vos objectifs sont irréalistes. Des objectifs trop faciles ou trop difficiles sont source de frustration.

■ **Adaptables :** Si vous êtes blessé, malade, ou avez atteint vos objectifs trop facilement, il est peut-être temps de les reformuler.

■ **Flexibles :** Vous aurez peut-être l'occasion de remporter une victoire lors d'une épreuve qui n'était pas prévue à votre programme initial. Évaluez bien la situation et décidez si cela vaut la peine de participer à une course qui va dans le sens de vos objectifs à long terme.

■ **Ludiques :** Le processus doit être ludique. Vous garderez votre motivation si vos objectifs et la voie que vous vous êtes tracée pour y parvenir vous apparaissent comme un jeu.

L'art de l'entraînement

La réussite est bien souvent une question de chance, mais dès lors que l'on multiplie les victoires, ce n'est plus de chance dont il s'agit, mais bien d'organisation et d'entraînement.

À la différence du vélo de route, où il n'y a pas grand-chose d'autre à faire que de se concentrer sur sa cadence, le vélo de montagne offre trois distractions : le paysage, ses compagnons et le pilotage. Ainsi les pratiquant qui privilégient les sorties découverte négligent parfois l'entraînement. Toutefois, le travail de l'endurance est une science et doit être traité en tant que telle. Pour franchir la ligne d'arrivée en tête, un entraînement scientifique, quel qu'il soit, se révèle indispensable.

Les grands principes de l'entraînement

■ **Une bonne position :** Assurez-vous que votre vélo est bien réglé suivant votre morphologie et le type d'épreuve auquel vous participez (par exemple, la descente opposée au cross-country). Un mauvais réglage du matériel fait perdre une précieuse énergie au débutant comme au compétiteur confirmé.

■ **La progressivité :** Augmentez la charge de travail (intensité ou durée) de 10 % par semaine. Par exemple, si vous êtes débutant et que vous partez de zéro, faites trois séances (d'environ trente minutes) par semaine en intensité faible (environ 60 % de la fréquence cardiaque max), en augmentant de 10 % chaque semaine le temps d'entraînement (*voir* p. 60).

■ **Le travail de la spécificité :** Pour améliorer son aptitude physique à rouler en vélo de montagne, il faut travailler en vélo de montagne, et la pratique d'autres sports n'est pas si utile que cela. Bon nombre de pratiquants complètent leur entraînement par d'autres activités, mais ne les incluent au programme qu'après avoir mis au point un entraînement spécifique. Pour s'améliorer en vélo, il est donc essentiel de rouler sur les chemins. Des séances sur route peuvent toutefois venir compléter la préparation. Si vous débutez et ne pouvez vous entraîner que trois fois par semaine, faites vos trois séances en vélo de montagne.

■ **Développer le fonds aérobie :** S'entraîner, c'est un peu comme bâtir une maison. Il faut d'abord poser les fondations avant d'ériger les murs. Cette phase de travail en aérobie constitue un entraînement à intensité modérée et permet à l'organisme de se préparer à des séances à intensité plus élevée. Au cours de cette phase, l'organisme apprend à soutenir un effort de longue durée. Si un pratiquant n'a qu'un fonds aérobie limité, sa saison

Le succès de votre programme d'entraînement repose sur la pratique régulière d'exercices de musculation spécifiques, tels que l'étirement des muscles des jambes et de la partie supérieure du corps. Pour le renforcement musculaire ou les étirements, il est possible d'utiliser son vélo comme point d'appui ou charge additionnelle.

Étape par étape

■ **Travail foncier** **(3 semaines-3 mois)**	Le débutant peut s'accorder trois semaines ou plus de travail à faible intensité (pas plus de 70 % de la fréquence cardiaque max) pour développer son endurance de base.
■ **Travail de force** **(2 semaines-2 mois)** 	Au cours de cette phase, le pratiquant développe sa force. Il peut effectuer des exercices de renforcement complémentaires (haltères, travail sur appareils de musculation) et renforcer les muscles du pédalage sur le vélo lui-même. Il peut effectuer des répétitions de côtes très raides ou même isoler chaque membre en pédalant avec une seule jambe à la fois. Lors de cette phase, l'objectif est de gagner progressivement en force ; c'est le passage obligé avant de pouvoir « avaler » les côtes et les descentes les plus dures en compétition. La puissance est une combinaison de force et de vitesse.
■ **Travail de la spécificité** **(2 semaines-2 mois)**  **ou phase de musculation spécifique**	Cette phase requiert une très grande rigueur, car de simples séances peuvent rapidement se transformer en séances moyennes si le cycliste pédale trop fort. N'oubliez pas que « plus » et/ou « plus fort » ne sont pas toujours synonymes de « mieux ». Lorsque vous effectuez un programme « facile », faites en sorte qu'il le reste et ménagez vos forces pour le jour J. Cette phase est probablement la plus éprouvante, mais également la plus excitante, car ayant progressivement augmenté les charges de travail, le cycliste est désormais capable de rouler à une allure de compétition. Au cours de cette phase d'entraînement, il continue à développer sa force, mais sans y consacrer plus de 15 % du temps d'entraînement. Un adepte du vélo de montagne doit acquérir deux qualités majeures : l'aptitude à rouler vite sur une longue durée et la puissance (il doit pouvoir combiner force et vitesse en course, pour combler un écart ou attaquer). Ces deux aptitudes font de la compétition une perspective des plus excitantes !
■ **Phase de transition** **(2semaines-4 semaines)** 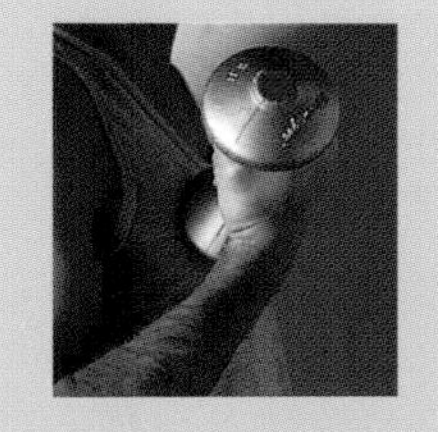	Cette étape est souvent la plus frustrante, car il s'agit de réduire l'intensité des séances de 10 % par semaine jusqu'au point culminant de la saison. Vous aurez peut-être l'impression de régresser, de perdre cette aptitude physique pointue que vous avez eu tant de mal à acquérir. Pourtant, si vous réduisez l'effort correctement, vous serez au top niveau le jour de la course. Au cours de cette phase de réduction progressive, l'entraînement continue, mais vous êtes à présent à même d'effectuer des séances de qualité.
■ **Récupération** **(2 semaines-1 ou 2 mois)**	Cette phase est importante, car elle permet à votre organisme de récupérer après la course ou la saison, pour mieux reprendre l'entraînement. Prenez des vacances : vous en reviendrez détendu, fin prêt pour la saison suivante.

sera de courte durée. Plus le fonds aérobie est élevé, plus on pourra courir avec constance.

■ **Des phases d'entraînement déterminées d'avance :** Identifiez les épreuves de la saison les plus importantes à vos yeux. L'organisme peut donner sa pleine mesure trois ou quatre fois par an. Après quoi, on peut espérer des performances moyennes. On organisera les cycles présentés ci-dessous autour des temps forts de la saison.

■ **Le repos :** Le repos est un devoir, et non un privilège. Après avoir identifié les épreuves auxquelles on veut participer, il faut prévoir des journées de repos ou des périodes qui facilitent la phase de musculation spécifique. L'organisme observe des cycles de vingt et un à vingt-six jours et, après ce laps de temps, il est nécessaire de prévoir un temps de repos en plus de votre repos hebdomadaire. En déterminant d'avance ces cycles de repos, vous pourrez optimiser les charges de travail. Parfois, on peut avoir du mal à évaluer ou à analyser l'effort auquel est soumis son propre organisme. Au cours de la phase de travail de la spécificité, il doit supporter une charge de travail intense. Si on continue à le solliciter sans lui accorder le temps prévu de repos, on le surentraîne et on finit par l'épuiser.

■ **Des cycles d'entraînement hebdomadaire et mensuel :** Comme on l'a dit précédemment, des cycles de vingt et un à vingt-six jours ou de sept jours peuvent faciliter l'organisation de l'entraînement.

Au fil des cycles

Cycles mensuels

■ Première semaine (sept jours)	Introduction charge de travail/entretien
■ Deuxième semaine	Augmentation de la charge de travail
■ Troisième semaine	Repos ou récupération

Cycles hebdomadaires

Semaine d'entraînement

■ Premier jour	Repos ou repos actif (jusqu'à 65-70 % de la fréquence cardiaque max)
■ Deuxième jour	Sortie tranquille (jusqu'à 70 %)
■ Troisième jour	Augmentation de l'intensité ou de la durée
■ Quatrième jour	Sortie tranquille (jusqu'à 75 %)
■ Cinquième jour	Travail en intensité modérée (jusqu'à 80 %) ou contre la montre
■ Sixième jour	Sortie tranquille ou repos
■ Septième jour	Sortie modérée ou circuit long, exécuté lentement

Semaine de récupération

■ Premier jour	30-60 min, intensité modérée à élevée (jusqu'à 85 % de la fréquence cardiaque max)
■ Deuxième jour	60 min, sans forcer (jusqu'à 75 %)
■ Troisième jour	Repos ou repos actif
■ Quatrième jour	Repos
■ Cinquième jour	30-90 min, sans forcer (jusqu'à 70 %)
■ Sixième jour	30-60 min, sans forcer (jusqu'à 70 %)
■ Septième jour	Course ou séance en situation de course

Le cardiofréquencemètre

Le cardiofréquencemètre a révolutionné l'entraînement et la compétition. Reste à comprendre comment fonctionne cet appareil.

Le cardio, oui mais...

De nombreux problèmes sont simplement dus à un manque de connaissances ou à un entraînement inadapté.

■ **Quelles sont vos attentes ?** Vous devez déterminer ce que vous attendez d'un cardiofréquence mètre. Il existe de nombreux modèles et, bien qu'ils donnent tous la fréquence cardiaque, le retour d'information diffère d'un modèle à l'autre. En d'autres termes, vous pouvez avoir un appareil qui fournit trop ou trop peu d'informations sur les données qui vous intéressent.

■ **Lisez le manuel d'utilisation !** Près de 80 % des personnes qui achètent un appareil perfectionné ne lisent pas le manuel d'utilisation.

■ **Définissez les paramètres d'entraînement :** si vous ne connaissez pas l'intensité ou le pourcentage d'entraînement qui vous convient, vous risquez de vous surentraîner ou de vous sous-entraîner. Il est donc nécessaire d'évaluer les fréquences cardiaques max et au repos. La fréquence cardiaque max théorique est sous-évaluée, car il s'agit de la référence utilisée par les coureurs, et non par les cyclistes. Il est conseillé aux compétiteurs de tester leur fréquence cardiaque max tous les deux mois, car celle-ci change au cours de l'entraînement. On évaluera sa fréquence cardiaque au repos tous les jours.

■ **Quand utiliser le cardio :** utilisez le retour d'information du cardio comme un exercice d'analyse, et non comme une référence absolue. Si vous faites partie du peloton de tête au départ, le cardio est là pour guider vos efforts (vous fournissez peut-être l'effort maximum); lorsque la nature de la course changera, votre fréquence cardiaque diminuera.

Un précieux guide

■ **Contrôle de l'intensité :** Les cardios optimisent l'entraînement. Déterminez les paramètres d'intensité

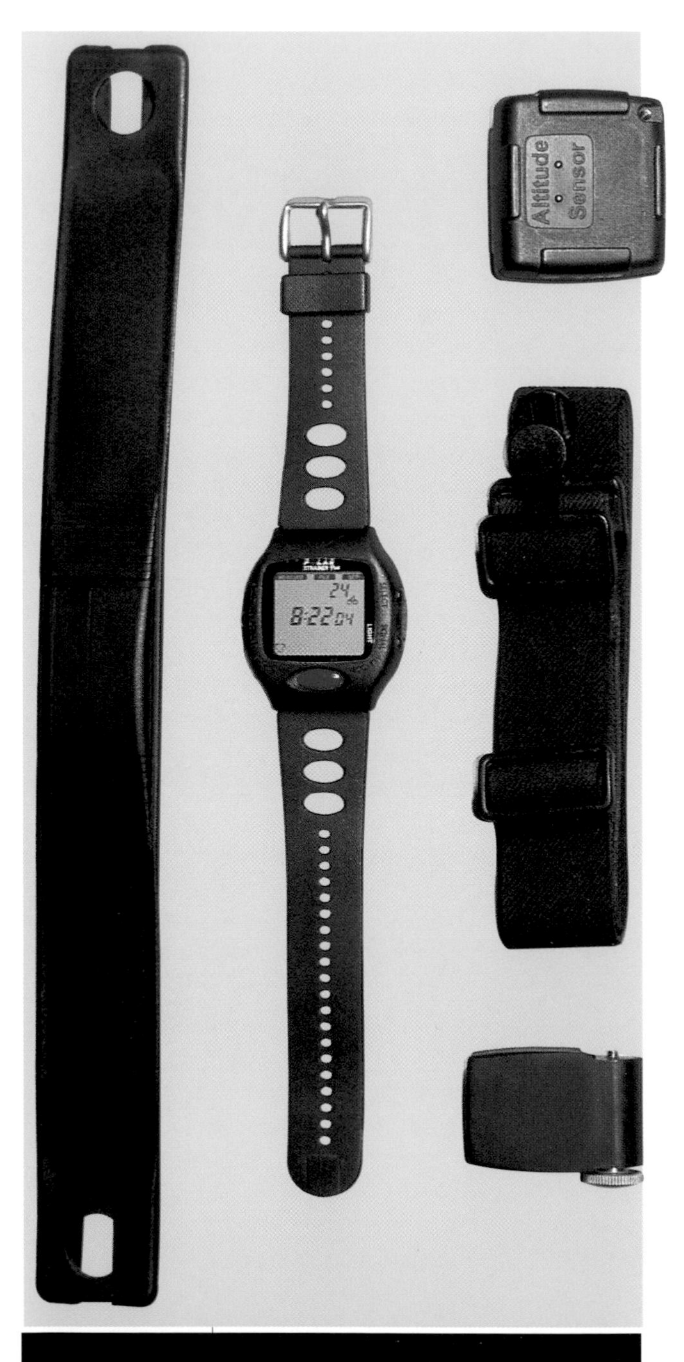

Le cardiofréquencemètre a révolutionné le programme d'entraînement du cycliste. Simple d'utilisation, il est aujourd'hui très à la mode. mais il ne sera pas d'un grand secours si l'on n'en voit pas l'utilité ou que l'on n'apprécie pas la technologie et si on ne sait pas interpréter les informations affichées. Un cardiofréquencemètre est bien plus qu'un simple chronomètre ! Si vous avez des doutes concernant son fonctionnement, adressez-vous à un professionnel.

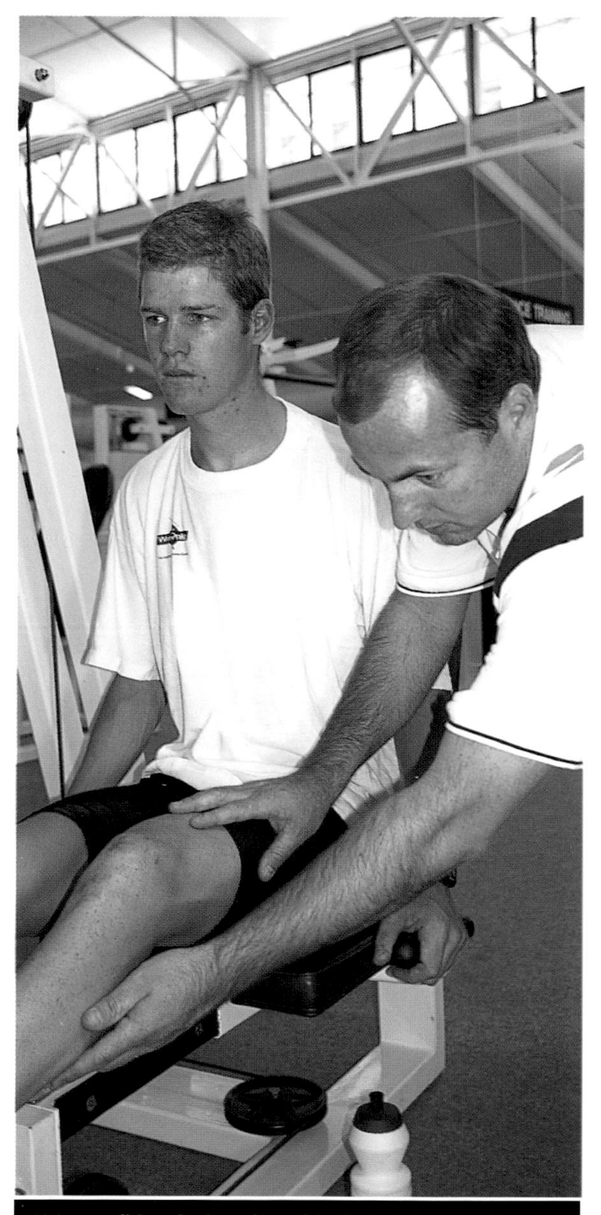

Votre condition physique dépend également des compétences de votre entraîneur.

(*voir* p. 57) pour que les « journées tranquilles » restent faciles et les « journées difficiles » un vrai challenge.

■ **Votre entraîneur personnel :** Le cardiofréquencemètre peut jouer le rôle d'« entraîneur ». Un entraînement efficace suppose de déterminer et de noter consciencieusement par écrit les formules qui vous réussissent.

■ **Précision :** Le cardio supprime les approximations que comportent l'entraînement et la course, en fournissant des paramètres précis.

■ **Entraînement scientifique :** Le cardio place les méthodes d'entraînement scientifiques à la portée de tous.

■ **Variations du rythme d'entraînement :** au lieu de se fonder sur le temps, le cardio utilise la fréquence cardiaque pour déterminer les temps de repos et les intervalles, autorisant une plus grande variété et permettant de garder sa motivation intacte.

■ **Retour d'information :** Le cardiofréquencemètre donne un retour d'information. Il permet donc d'optimiser l'entraînement, mais ne négligez pas votre intuition au profit de la technologie, car la compétition repose également sur l'expérience personnelle.

Quelques conseils

■ Une fois par semaine, sortez en groupe. Certains clubs de BMX incluent une catégorie vélo de montagne dans leurs compétitions. Entraînez-vous à sauter, à atterrir, à négocier les virages et à vous balancer. Ne sous-estimez pas la valeur du « jeu » dans votre entraînement. Si vous avez du temps et de l'argent, le motocross est excellent pour améliorer votre technique de pilotage. En cross-country, une bonne condition physique est un must ; en descente et en dual, puissance, bonne condition physique et maîtrise des techniques de pilotage sont essentielles.

■ Pourquoi tant de vélos d'appartement et d'appareils de gym moisissent-ils dans les appartements ? Parce qu'un entraînement, pour être efficace, suppose une interaction sociale. Si vous roulez avec un partenaire d'entraînement, vous roulerez à un rythme plus soutenu et gagnerez progressivement en force. Vous pouvez également vous inscrire à un club de vélo de montagne.

■ Si vous avez le temps de vous entraîner certaines semaines, mais que des voyages ou des heures supplémentaires vous en empêchent à certaines périodes, tâchez simplement d'être constant : passez moins de temps en selle, mais faites une activité tous les jours (allez au travail à vélo, par exemple).

L'entraînement complémentaire

La première fonction des séances d'entraînement complémentaires est de venir… compléter le travail sur le vélo. Les séances de musculation doivent donc être adaptées aux besoins et aux objectifs de chacun, de même qu'aux courses ou aux manifestations auxquelles on participe, pour ne pas nuire aux séances d'entraînement consacrées exclusivement à la conduite du vélo.

L'entraînement sur home-trainer ou spinning

La technique du spinning, qui consiste à effectuer plus de 100 coups de pédale par minute, a vu le jour aux États-Unis.

Rappelant une séance d'aérobic, le spinning peut venir compléter l'entraînement effectué à vélo. Pratiqué en salle sur vélo fixe, il se fait en anaérobie, à savoir en dette d'oxygène, développant à la fois la vitesse (et la souplesse de pédalage) et la puissance des jambes.

Le spinning permet de se concentrer sur certaines parties de son corps sans être distrait de sa tâche par le pilotage de son engin.

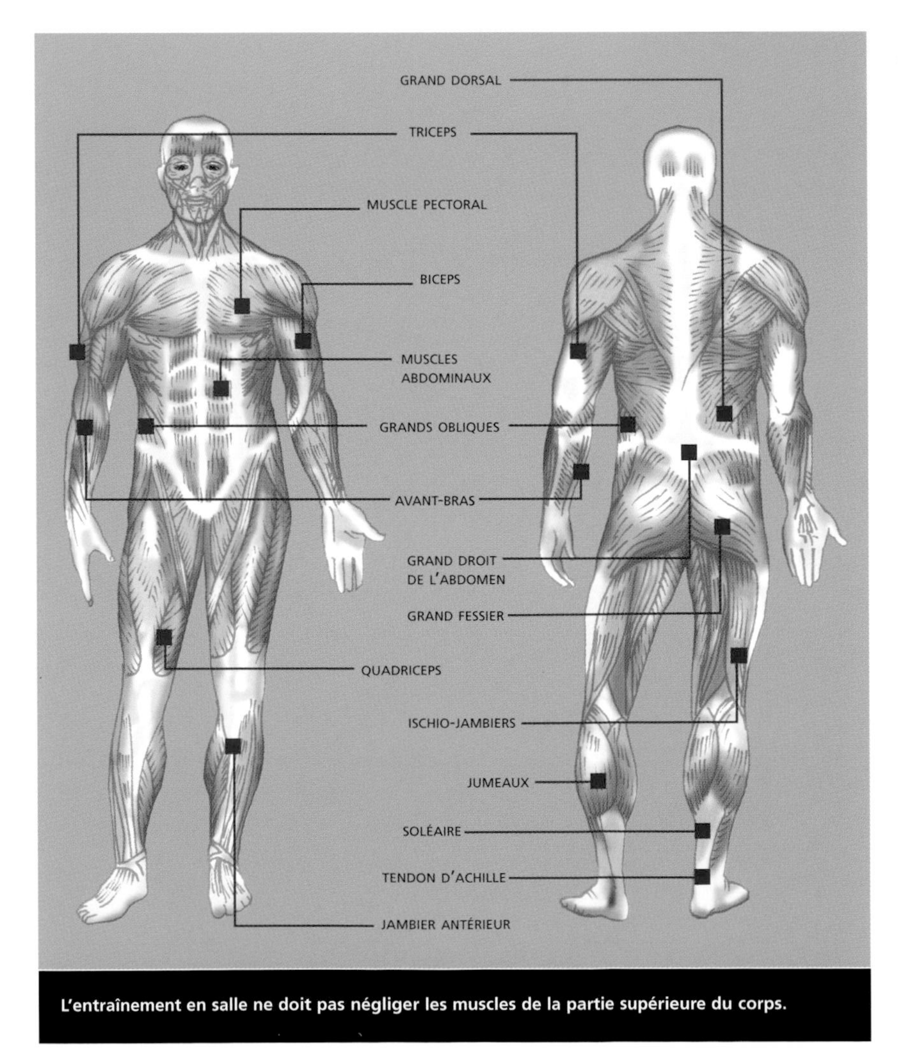

L'entraînement en salle ne doit pas négliger les muscles de la partie supérieure du corps.

La musculation

Pour développer efficacement votre force, vous devez solliciter l'ensemble de vos fibres musculaires en travaillant proche de la force maximale.

Le pratiquant confirmé ajoutera une séance de gym deux à trois fois par semaine dans la phase d'accroissement de la force, et de une à deux fois par semaine dans la phase de musculation spécifique.

Lors de la phase de réduction progressive, il effectuera une seule séance hebdomadaire et aucune dans les deux semaines précédant la course.

A Étirement des abdominaux. **B** Étirement des avant-bras. **C** Étirement des ischio-jambiers. **D** Étirement des quadriceps.

Les mouvements d'abduction favorisent le développement de l'intérieur (A) et de l'extérieur des cuisses (B), le développé (C) fait travailler les biceps et les triceps, l'extension de la jambe (D), les quadriceps, le retour talon (E), les ischio-jambiers.

Le renforcement musculaire personnalisé

On n'obtiendra pas nécessairement les mêmes résultats que ses voisins en suivant un entraînement semblable. Fixez-vous vos propres objectifs et effectuez des séances d'entraînement spécialement adaptées à votre propre saison de course. Les pratiquant confirmés pourront effectuer de deux à trois séries de huit à douze répétitions à 85 % de la force max ou charge maximale (charge maximale = effort maximum en une seule tentative).

Les étirements

Avec l'âge (25 ans et au-delà), les muscles perdent de leur élasticité naturelle. Toutefois, des étirements effectués régulièrement permettent de limiter leur détérioration. Les lombaires, les fessiers et les ischio-jambiers sont des zones à problème, car le cyclisme suppose une flexion des genoux à 30 degrés. Si on ne s'étire pas régulièrement, les muscles deviennent rigides. On maintiendra l'extension dix à vingt secondes.

Pour conserver sa souplesse, on effectue une séance d'étirements de quarante-cinq à soixante minutes par semaine (ou mieux de quinze à vingt minutes après chaque entraînement), en tenant l'extension jusqu'à une minute. Lorsqu'on travaille la flexibilité, on augmente la durée de l'extension toutes les vingt secondes.

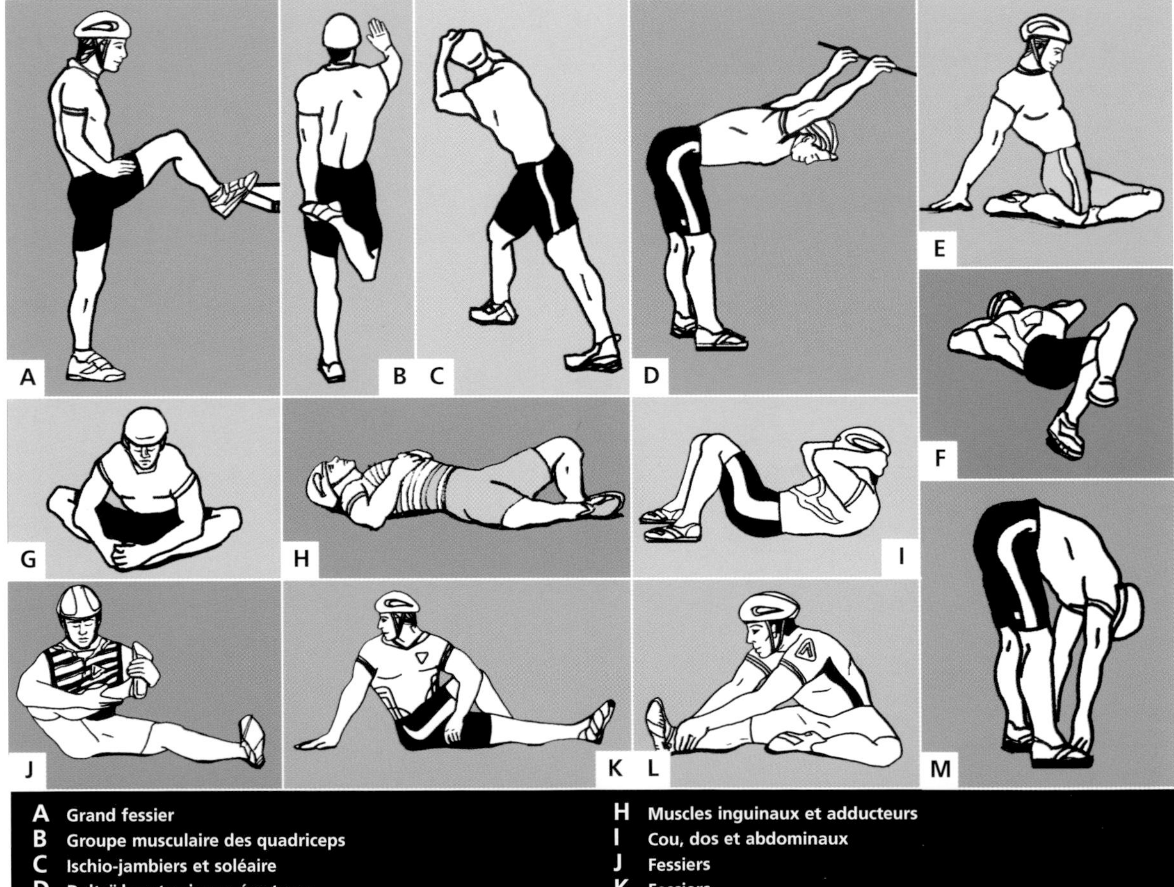

A Grand fessier
B Groupe musculaire des quadriceps
C Ischio-jambiers et soléaire
D Deltoïdes et spinaux érecteurs
E Muscle iliaque fléchisseur et muscles inguinaux
F Pectoraux, grand fessier et grands obliques
G Muscles inguinaux et adducteurs
H Muscles inguinaux et adducteurs
I Cou, dos et abdominaux
J Fessiers
K Fessiers
L Ischio-jambiers et muscles du dos
M Ischio-jambiers et muscles des mollets

La nutrition

La pratique du vélo nécessite un apport régulier d'énergie.

Dans la mesure du possible, ne consommez que des produits « bruts » par opposition aux produits élaborés : du pain de seigle plutôt que du pain blanc, des pommes de terre au four, à la vapeur ou à l'eau plutôt que des frites. De nombreux produits contiennent des conservateurs et des colorants qui altèrent leur pureté.

Mangez des fruits et des légumes qui ont une teneur élevée en antioxydants, dont la vitamine C, la vitamine E, le bêta-carotène, les vitamines B_6 et B_{12} et le sélénium. Les antioxydants contribuent à désintoxiquer l'organisme. Lorsqu'on fait de l'exercice, la digestion entraîne la formation de radicaux libres qui entravent le bon fonctionnement du corps. Un apport d'antioxydants est donc essentiel.

L'eau

L'organisme est composé de près de 75 % d'eau, laquelle facilite

Buvez 1,5 l d'eau par jour.

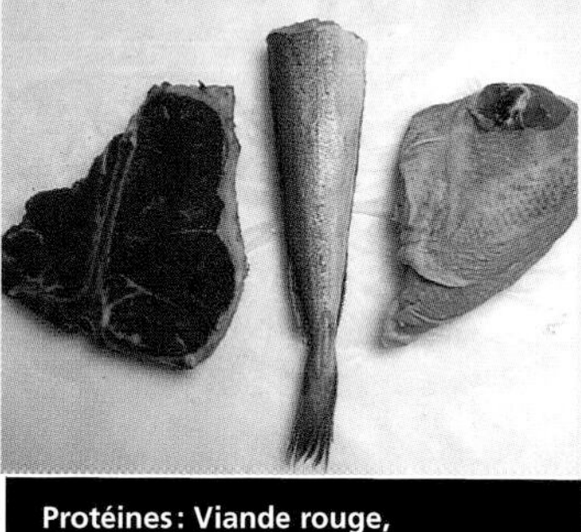

Protéines : Viande rouge, poisson et poulet.

l'élimination des toxines. Les glucides sont dégradés en glycogène, puis stockés à raison d'une molécule de glycogène pour trois molécules d'eau. Le cycliste doit donc boire le plus possible d'eau (1,5 l par jour) et éviter les boissons gazeuses et caféinées qui diminuent l'absorption de certains éléments nutritifs.

Les protéines

Les protéines sont nécessaires pour assurer un apport suffisant en acides aminés. Au nombre de 23, les acides aminés sont ces substances organiques qui facilitent la récupération après l'exercice. On en trouve dans la viande rouge, le poulet, le poisson, les fèves, les céréales et les légumes, en particulier les six acides aminés essentiels que l'organisme est incapable de produire lui-même.

Les graisses

Des études récentes ont montré qu'un apport régulier de graisses végétales permet à l'organisme de brûler davantage de graisses (les graisses animales, ayant une forte teneur en cholestérol, ne constituent pas une bonne source d'énergie). Bon nombre de gens adoptent ainsi un régime du type 60 – 30 – 30, comportant 60 % de glucides, 30 % de protéines et 30 % de graisses.

S'alimenter en route

Lors d'une course, il vous faut une boisson combinant électrolytes et glucides. Lisez l'emballage des produits pour vous assurer qu'ils fournissent l'énergie dont vous avez besoin, mais sachez que les bananes et les gâteaux aux fruits sont le carburant préféré des cyclistes.

Après la course, l'absorption d'aliments permet à votre corps de refaire le plein de substrats énergétiques. Réhydratez-vous et veillez à remplacer vos électrolytes et votre glycogène.

Fruits et légumes sont essentiels.

Entretenir votre vélo de montagne

Les composants d'un vélo de montagne sont conçus pour résister aux chocs. Pourtant, vous aurez certainement des soucis mécaniques un jour ou l'autre. Vous pouvez les éviter ou, à défaut, réparer facilement si vous disposez des outils appropriés et savez réaliser les interventions de base.

Les outils nécessaires pour le nettoyage

Pour garder votre vélo propre et ainsi éviter une usure prématurée des composants, vous devez avoir le matériel suivant :

■ Un seau d'eau froide et un seau d'eau chaude et savonneuse (lessive ou liquide vaisselle).

■ Un produit dégraissant.

■ Un assortiment de brosses (une brosse longue et fine pour accéder aux endroits difficiles, une autre, plus large et à poils souples pour le cadre, et une troisième avec des poils en Nylon pour les jantes et les pneus ; enfin, une brosse à dents pour accéder aux coins et recoins).

■ Un chiffon doux et sec (pour essuyer le vélo).

■ Un dégraissant pour chaîne.

Le nettoyage

■ Placez le vélo sur un pied d'atelier ou suspendez-le au plafond avec des chaînes.

■ Rincez-le à l'eau claire ou à l'aide d'un jet d'eau à faible pression pour éliminer le plus gros de la poussière et de la boue. Ne dirigez jamais le jet sur les roulements.

■ Démontez les roues et lavez-les séparément.

■ Utilisez le produit dégraissant pour dissoudre les restes d'huile et de graisse sur les pignons, les plateaux, la chaîne et les galets du dérailleur arrière.

■ Lavez le vélo de haut en bas à l'eau tiède savonneuse en commençant par la selle et le guidon, et en terminant par les manivelles et les plateaux.

■ Nettoyez les patins de frein avec une brosse et examinez-les pour déceler une usure éventuelle ou la présence de petits cailloux incrustés dans la gomme.

■ Inspectez les câbles de dérailleur et les gaines à la recherche de signes d'usure (brin de câble coupé ou garde fendue). Remplacez-les si nécessaire.

■ Lavez les roues et examinez les flancs de jante et les moyeux pour détecter d'éventuelles amorces de rupture. Vérifiez également les pneus, et particulièrement leur surface latérale.

■ Vérifiez l'état des roulements en tenant la roue d'une main et en faisant tourner l'axe de l'autre. L'axe doit tourner sans à-coups (bien que la graisse produise une légère friction). Si vous constatez du jeu ou sentez une résistance, il faut régler les moyeux. Cela vaut également pour le jeu du boîtier de pédalier.

■ Le vélo sur le pied d'atelier, exercez un déplacement latéral : on ne doit pas sentir de jeu.

La lubrification : à ne pas négliger

La plupart des composants de votre vélo de montagne doivent être propres et bien lubrifiés pour rester en bon état.

CI-DESSUS : Un pied d'atelier ou des chaînes faciliteront l'entretien.
CI-CONTRE : Pour rouler l'esprit tranquille, emportez un kit de réparation.

La chaîne

N'utilisez pas d'huile de moteur ou de cuisine pour lubrifier votre chaîne de vélo. Employez un lubrifiant spécifique, dont la viscosité varie en fonction des conditions d'utilisation du vélo. L'huile normale retient à la fois la poussière et le sable, et forme une pâte abrasive qui détériore plateaux et pignons.

La tige de selle

Lorsque vous lavez votre vélo, enduisez la tige de selle d'une fine couche de graisse pour éviter qu'elle ne soit grippée.

Les fourches à suspension

La plupart des fourches à suspension modernes utilisent le liquide d'amortissement comme lubrifiant : aucun graissage n'est donc requis. Si la fourche nécessite une lubrification externe, utilisez le lubrifiant fourni par le fabricant ou de la graisse spéciale. Avec un lubrifiant standard, les bagues (les pièces à l'intérieur desquelles les plongeurs coulissent) risquent d'être détériorées et de causer la fin prématurée des amortisseurs.

Les moyeux

Si vous sentez que les axes des moyeux « grattent » trop quand vous faites tourner la roue, il faut les déposer pour entretien (on utilise des outils spéciaux tels qu'une paire de clés à cône). Si les cônes de roulement (ou les roulements complets) sont abîmés, il faut les changer. Veillez également à graisser les chemins de roulement. Certains moyeux de qualité ont des roulements annulaires : il vous faudra remplacer la cartouche si elle est endommagée.

Les ajustements de base

Savoir effectuer les interventions simples vous donnera presque immédiatement une certaine indépendance.

Ajuster la tension des câbles de frein

Méthode : Chaque levier de frein comporte un système d'ajustement constitué d'une molette de réglage. Celle-

Certains composants de votre vélo de montagne exigent des lubrifiants spéciaux. Bannissez huile de cuisine et huile de moteur !

L'outillage indispensable

Les outils spécial vélo

Ces outils sont destinés spécifiquement à la maintenance et à l'entretien des vélos; la plupart s'achètent chez les vélocistes.

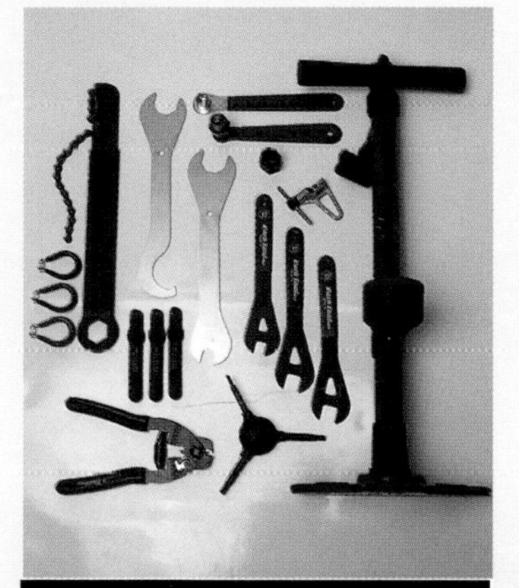

Sans ces outils spécifiques au vélo, vous ne pourrez pas changer les pièces défectueuses.

- **Une pince coupe-câble**
- **Un dérive-chaîne**
- **Un fouet à chaîne**
- **Un arrache-manivelle**
- **Un jeu de clés à cône plates**
- **Un démonte-roue libre**
- **Des clés pour jeu de direction adaptées à votre vélo (si vous n'avez pas de système intégré de réglage de jeu de direction)**
- **Une bonne pompe à pied ou à main (si vous en avez les moyens, vous pouvez également décider d'investir dans une pompe plus volumineuse)**
- **Une clé à rayons (de préférence compatible avec plusieurs tailles)**
- **Un jeu de démonte-pneus**

L'outillage de secours

Faites preuve d'esprit pratique en préparant votre sacoche, et munissez-vous au moins des pièces de rechange et outils ci-dessous.

Si vous sortez sans ces outils, une longue marche vous attend en cas de problème technique.

- **Au moins une chambre à air de secours équipée de la bonne valve, correspondant à votre jante et à l'embout de votre pompe**
- **Un kit de réparation pour chambre à air contenant un assortiment de rustines de forme et de taille différentes**
- **Un outil multifonction spécial vélo (comportant clés Allen, tournevis et autres outils adaptés aux réparations sur place)**
- **Un dérive-chaîne**
- **Un jeu de démonte-pneus**
- **Une bonne pompe à main ou à pied**
- **Un petit canif**
- **Un morceau de caoutchouc (ou un morceau de flanc de pneu pour réparer les déchirures du pneu)**

L'outillage courant

Outre les outils spécial vélo et autres outils indispensables, l'outillage suivant peut vous être utile en cas d'urgence.

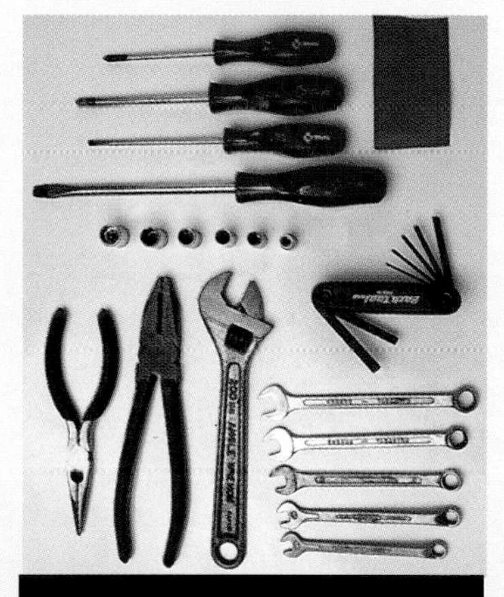

Ces outils indispensables s'achètent dans une quincaillerie ou un magasin d'outillage.

- **Un jeu de tournevis cruciformes et plats**
- **Un jeu de clés plates (de 6 à 17 mm)**
- **Un jeu de douilles (pour des boulons de 6 à 17 mm)**
- **Un jeu de clés Allen**
- **Une petite clé à molette**
- **Une bonne pince universelle**
- **Une pince à bec**

Accessoires d'usage courant.

- **Un câble long de frein (câble qui passe dans la gaine)**
- **Un câble long de dérailleur**
- **Une gaine de frein**
- **Une gaine de dérailleur**
- **Une gaine de câble de dérailleur**
- **Une chaîne de secours**
- **Deux paires de patins de frein**
- **Un dérailleur arrière de secours**
- **Un lubrifiant pour chaîne**

ci vient se fixer sur le levier de frein et peut être vissée ou dévissée à la position souhaitée.
Réglage : En desserrant, on allonge l'ensemble dans lequel coulisse le câble, accroissant la tension sur ce dernier et rapprochant les patins de la jante (ou du disque de frein).

Les pédales gauche et droite ont des pas inverses.

Ajuster l'indexation

Méthode : Le principe est le même que pour les câbles de frein. Il y a habituellement une molette de réglage sur les poignées tournantes de changement de vitesse et au niveau du dérailleur. Desserrez l'écrou d'ajustement de trois tours au niveau de la poignée et effectuez les réglages au niveau du dérailleur arrière. Votre dérailleur est équipé de deux vis de butée qui permettent de définir l'amplitude de son mouvement.

Réglage : Si vous augmentez la tension du câble, le dérailleur montera d'un rapport, c'est-à-dire que la chaîne passera sur le pignon plus grand le plus proche. Si, au contraire, vous détendez le câble, vous passerez sur un pignon plus petit. Assurez-vous de descendre sur le plus petit pignon. La chaîne étant placée sur le plateau intermédiaire, montez d'une vitesse d'un clic de la main droite. Si cela ne provoque pas le changement de vitesse sur un pignon plus gros, augmentez la tension du câble en desserrant la molette. Si, au contraire, le mouvement de la poignée tournante a fait trop se déplacer la chaîne, détendez légèrement le câble en vissant la molette de réglage (dans le sens des aiguilles d'une montre) jusqu'à ce que la chaîne se déplace d'un rapport seulement.

Dérailleur arrière avec un système d'ajustement, en bas à droite. Lorsqu'on desserre l'écrou d'ajustement, on diminue la tension du câble.

Le boulon qui maintient la tige de selle dans le cadre est serré par un blocage rapide ou un collier de serrage.

Maintenance préventive

Mieux vaux prévenir que guérir... En outre, c'est moins coûteux.

Les roues

Les roues sont les composants les plus durement sollicités. Il faut donc inspecter les pneus pour détecter toute

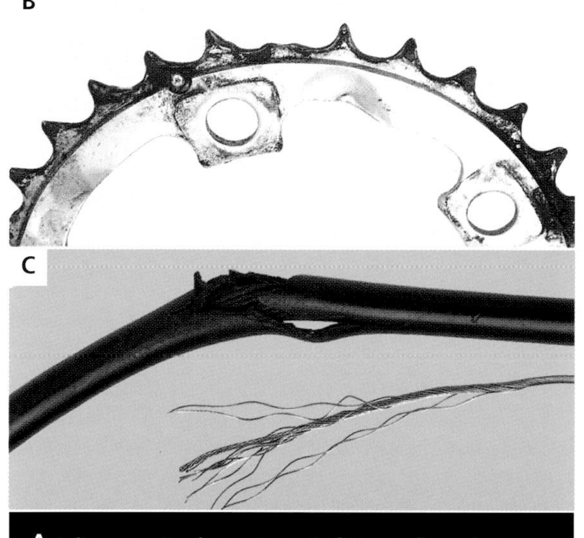

A **Prêtez une attention toute particulière aux flancs du pneu : c'est la zone la plus sujette aux déchirures et aux crevaisons.**
B **Remplacez chaîne et plateaux usés aussi souvent que nécessaire.**
C **Les câbles qui s'effilochent peuvent sérieusement affecter l'aptitude du vélo à passer les braquets et à freiner efficacement.**

coupure, éraflure et objet incrusté dans la gomme, en prêtant une attention toute particulière aux flancs. En cas de doute, remplacez ou réparez immédiatement les pneus. Si vous constatez du jeu ou des points durs dans les roulements de la roue, une intervention s'impose également.

Inspectez les roues à la recherche de rayons desserrés, et contrôlez l'état de la jante. De minuscules fentes sont le signe que la jante est sur le point de rendre l'âme. Si vous pensez ne pas être capable d'assurer ce genre de maintenance, la plupart des vélocistes peuvent s'en charger à votre place.

La chaîne

Remplacez la chaîne tous les six mois si vous roulez régulièrement et tous les trois mois si vous participez souvent à des courses, sinon elle risque d'user les plateaux et les pignons.

Les câbles

Inspectez les câbles de dérailleur et de frein pour détecter les signes de fatigue (usure, brins effilochés, oxydation, gaines endommagées) et remplacez-les si nécessaire. Ne lubrifiez jamais les câbles. N'hésitez pas à remplacer câble et gaine en même temps.

Le cintre

Inspectez le cintre pour détecter toute torsion ou fissure, en particulier au niveau du collier de la potence. Recollez au besoin les poignées du guidon ou remplacez-les par de nouvelles. Réglez et resserrez les bar-ends.

Le boîtier de pédalier

En nettoyant votre vélo, vérifiez l'état du boîtier de pédalier et des roulements de manivelles, et faites-les remplacer si vous constatez du jeu. Sur tous les vélos de montagnemodernes, le boîtier de pédalier est monobloc : il n'y a plus de réglage à effectuer. Lorsqu'il est abîmé, il faut juste changer l'ensemble.

Le cadre

Lorsque vous lavez votre vélo, examinez le cadre à la recherche de peinture craquelée en prêtant une

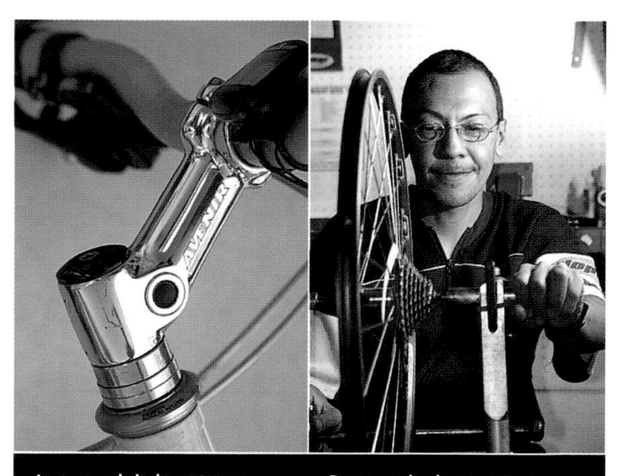

Le raccord de la potence au cintre nécessite une attention particulière.

Prenez soin de vos roues, deux des composants les plus importants de votre vélo.

attention particulière aux soudures et au jeu de direction.

Composants typiques d'un jeu de direction.

Le jeu de direction

Contrôlez l'état des roulements du jeu de direction en bloquant le frein avant. Exercez un mouvement de va-et-vient du vélo d'avant en arrière. Vous ne devez pas ressentir de jeu au niveau des roulements du jeu de direction. Si c'est le cas, effectuez un réglage ou remplacez-les.

Les interventions provisoires

Si vous savez comment se montent et se règlent les dif-

Problème	Cause	Solution
Les braquets sautent ou ne passent pas correctement.	Mauvaise tension du câble; câbles abîmés; dérailleur grippé.	Réglez la tension des câbles ou remplacez le câble de dérailleur ainsi que sa gaine. Mettez du dégrippant sur les articulations.
Les freins ne sont pas assez efficaces.	Avec des freins V-brake, ou les patins de frein sont usés, ou la surface de la jante ou les étriers de frein sont à nettoyer. Avec des freins Cantilever, cela peut également signifier que le câble qui joint les deux mâchoires de frein est trop lâche. Avec des freins à disque, les problèmes peuvent être dus à la présence de bulles d'air dans le système hydraulique, ou à des patins salis.	Remplacez les patins salis et nettoyez à l'alcool ou à l'acétone la surface des freins (veillez à ne pas mettre d'huile ou de graisse sur les patins de frein, la jante ou le disque de frein). Vous pouvez aussi limer légèrement les patins.
La chaîne saute.	Maillon(s) grippé(s); chaîne vrillée; pignons usés; la chaîne est toute neuve et n'a pas encore été assez rodée pour que les dents des pignons et la chaîne s'ajustent.	Si la chaîne est ancienne, remplacez-la, et/ou remplacez la cassette. Dégrippez le maillon.
Les freins couinent.	Les patins ont besoin d'un très léger ajustement en V, pointe vers l'avant.	Effectuez les réglages nécessaires (orientation du patin par rapport à la jante).
Les amortisseurs fonctionnent mal.	Absence de lubrification ou joints abîmés.	Effectuez le réglage, mais il est préférable de demander à un vélociste.
La jante frotte contre les patins de frein.	La jante est voilée; les freins sont trop serrés. Le blocage rapide du moyeu n'a pas été suffisamment serré.	Dévoilez la jante ou réduisez la tension du câble de frein. Resserrez le blocage rapide du moyeu. Si rien ne marche, détachez les câbles de frein.

férents composants de votre vélo et avez les outils appropriés, la réparation de votre vélo en sera grandement facilitée. Vous devez savoir entretenir votre vélo notamment pour votre propre sécurité.

Gonfler les pneus

Avec une pompe à pied, vous pourrez gonfler précisément les pneus à la pression indiquée sur leur flanc en surveillant la valeur donnée par le manomètre. Notez

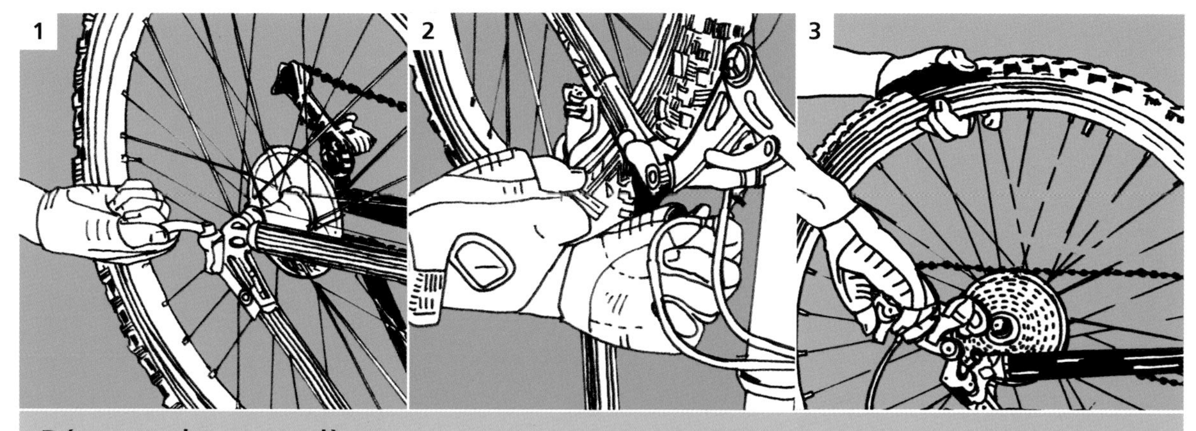

Démonter la roue arrière

Freins, pignons, dérailleur, chaîne: la roue arrière est à première vue un ensemble déroutant.

1 Réglez les vitesses pour que la chaîne se place sur le plateau intermédiaire et sur le plus petit pignon.

2 Faites reposer le vélo sur la selle et le guidon. Décrochez le câble de frein arrière (V-brake ou Cantilever). Desserrez le blocage rapide du moyeu arrière.

3 Tirez le dérailleur d'une main, et sortez la roue de son logement de l'autre. Si votre vélo est équipé de freins à disque, veillez à ne pas actionner le levier de frein tant que la roue est sortie du cadre.

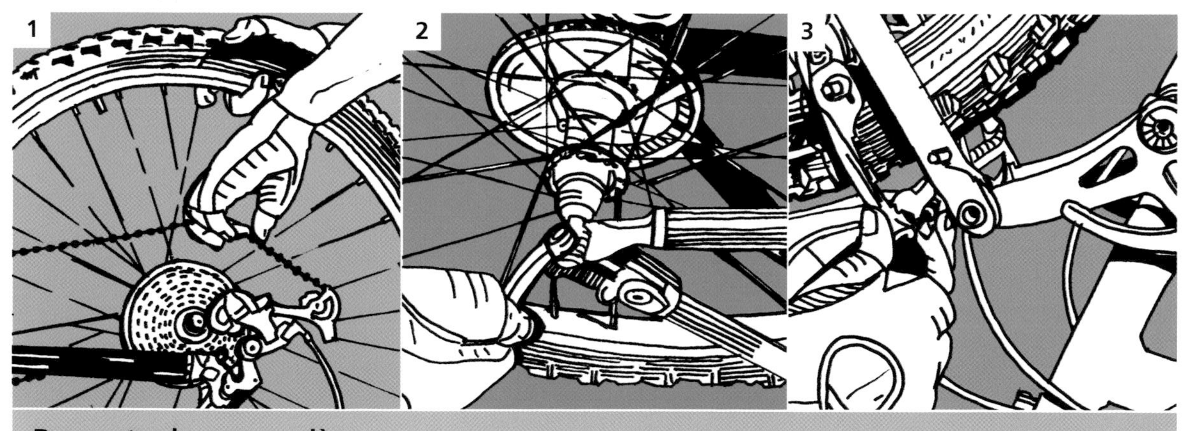

Remonter la roue arrière

1 Écartez du cadre le tronçon de chaîne venant du haut du plateau moyen. Engagez la roue dans le cadre, le plus petit pignon reposant sur la section de chaîne qui mène au bas du plateau moyen.

2 Positionnez la roue dans les pattes du cadre (à l'endroit où elle se visse au cadre). Serrez le blocage rapide, mais pensez à bien suivre d'éventuelles instructions particulières du fabricant.

3 Reconnectez le câble de frein.

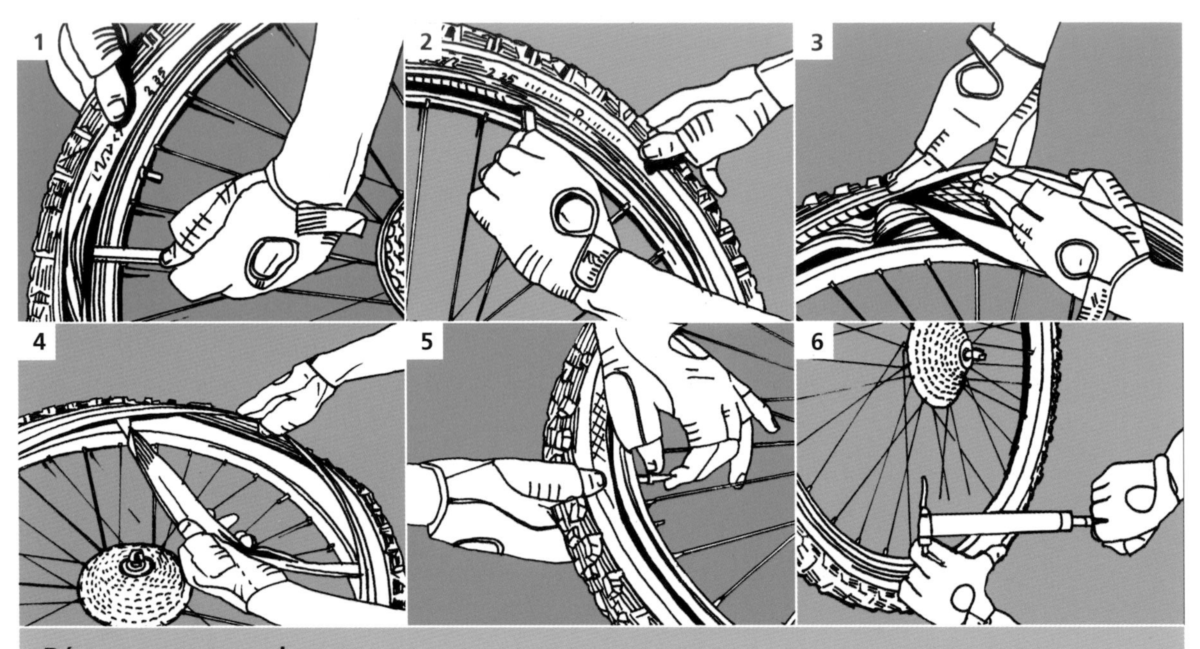

Réparer une crevaison

Une crevaison peut être causée par un choc (pincement), un corps étranger (épine) ou une simple coupure. Si la chambre à air est percée en deux endroits contigus, il s'agit probablement d'une crevaison par pincement. Un gros trou est rarement réparable, et il faut changer la chambre à air. Si vous n'avez pas de chambre à air de secours et que la vôtre est irrécupérable, vous pouvez rentrer tant bien que mal en bourrant le pneu d'herbe, ou en faisant un nœud dans la chambre à air (à l'endroit où se trouve le trou) avant de la remonter.

1 Décrochez les câbles de frein, desserrez le blocage rapide et sortez la roue. Placez les démonte-pneus sous la tringle du pneu et faites pression sur la jante pour faire sortir le pneu.

2 Une fois qu'un morceau suffisant de tringle est passé sur la jante, enlevez entièrement l'un des côtés du pneu.

3 Parcourez avec le doigt jusqu'à détecter à l'intérieur du pneu l'épine à l'origine de la crevaison.

4 Enlevez la chambre à air crevée. Si vous avez une chambre à air de secours, insérez-la entre l'intérieur du pneu et la jante, en tirant la valve à travers le trou prévu à cet effet sur la jante. Dans le cas contraire, repérez le trou et collez une rustine.

5 Veillez à ne pas pincer la chambre à air entre la jante et la tringle du pneu. Remettez la tringle du pneu (avantage des tringles souples). Finissez de remonter la tringle à la main, les démonte-pneus peuvent provoquer une autre crevaison.

6 Assurez-vous que la valve est bien droite et gonflez.

bien le type de valves dont vous êtes équipé : Schrader (grosse valve) ou Presta (petite valve) et vérifiez que la pompe est dotée de l'embout correspondant. Si vous utilisez une pompe à main, voici comment procéder :

1. Tenez la roue de votre main libre en plaçant le pouce sur le pneu, et l'index, le majeur et l'auriculaire autour de la valve et de la pompe.
2. Faites reposer le bras tenant la pompe sur votre cuisse.

Une chaîne cassée

Bien qu'une chaîne bien entretenue n'ait pas de raison de casser, l'utilisation de mauvais rapports peut l'endommager, imposant une contrainte trop importante à l'ensemble pignons-chaîne-plateaux (souvent parce que vous utilisez une combinaison de rapports avant/arrière non compatibles).

1. Munissez-vous d'un dérive-chaîne.

Notez que les chaînes Shimano nécessitent un maillon spécial en remplacement du maillon extrait dans la procédure décrite ci-après. Vous devrez donc enlever complètement le maillon abîmé.

2. Extrayez l'axe permettant d'enlever les maillons endommagés. Veillez à ce que les deux maillons devant être raccordés soient respectivement mâle et femelle.

3. Attention de ne pas extraire totalement l'axe de la plaque extérieure à raccorder: l'opération sera plus facile si le rivet est déjà positionné pour le remontage.

4. Faites glisser le petit axe dans son logement pour riveter la chaîne.

Pour donner un peu de jeu à un maillon trop serré, tenez la chaîne de part et d'autre du maillon concerné, et faites-la jouer latéralement (dans la direction dans laquelle elle n'est pas censée s'articuler).

Une roue voilée

On peut dévoiler une roue légèrement voilée en ajustant la tension des rayons, mais si la roue est complètement tordue, adressez-vous à un vélociste.

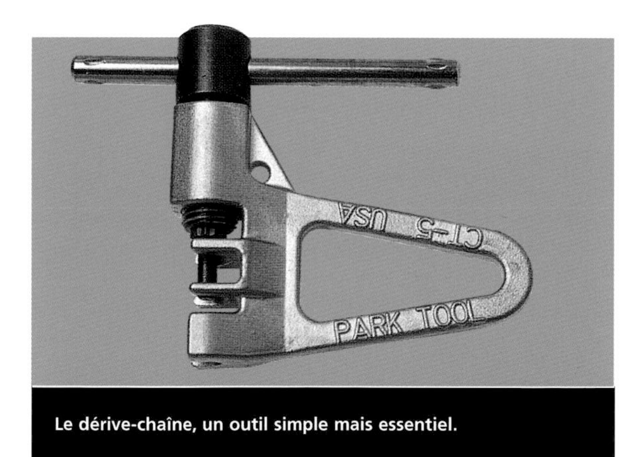

Le dérive-chaîne, un outil simple mais essentiel.

1. Détachez le câble de frein et vérifiez si la roue passe à travers le cadre. Si oui, vous pouvez rentrer sans rien toucher. Sinon, il faut tordre la jante pour espérer lui redonner sa forme initiale.

2. Placez la roue sur le sol et montez sur la jante. Utilisez votre corps pour redonner à la jante sa forme initiale. Elle conservera sans doute un voile (nerf de la jante abîmé), mais cela devrait vous permettre de rentrer.

Un rayon cassé

À moins que vous ne soyez équipé de rayons de rechange, retirez simplement les rayons cassés et rentrez lentement.

Ce type d'exploit peut être amusant, mais risque d'endommager les composants de votre vélo.

1. Une clé à rayons vous permettra de tendre les rayons voisins du rayon endommagé et de garder la roue relativement droite.

2. Si la casse survient à proximité du moyeu, dévissez le rayon et retirez-le; s'il a cassé au niveau de la jante, faites-le passer à travers le trou de la jante.

3. Si la casse s'est produite au niveau du dérailleur arrière, il vous sera peut-être difficile d'enlever le rayon. Coincez-le autour du rayon intact le plus proche pour éviter qu'il ne se prenne dans le dérailleur.

Un câble de dérailleur sectionné

En général, quand vous cassez un câble de dérailleur, le ressort interne du dérailleur place la chaîne sur le plus petit pignon ou plateau. On peut régler les butées du dérailleur pour la placer sur des rapports plus appropriés le temps de rentrer.

1. S'il s'agit du câble avant, placez la chaîne sur le plateau moyen en agissant sur la butée interne.

2. S'il s'agit du câble arrière, utilisez la butée du dérailleur arrière pour placer la chaîne sur un pignon du milieu de la roue libre.

Rouler en toute sécurité

La pratique du vélo de montagne sur les chemins est un véritable exercice de course d'orientation : aucun panneau pour indiquer l'itinéraire à suivre ou la distance qu'il reste à parcourir... et, selon l'endroit où l'on roule, aucun balisage ou aucune flèche pour vous guider.

Vélo de route contre vélo de montagne

La plupart des vélos de montagne ne voient jamais ne serait-ce qu'un chemin de terre; c'est donc à vous de décider si vous allez troquer les pneus lisses contre les pneus à crampons.

	Les plus	Les moins
Sur la route	Surfaces faciles et prévisibles, très roulantes; panneaux indicateurs; possibilité de garder la cadence et de se concentrer sur la technique et le style.	Conducteurs de voiture imprévisibles; trafic motorisé dangereux et bruyant; aucun contact avec les autres cyclistes en raison du trafic; gaz d'échappement. 
Sur les chemins	Diversité des terrains; tranquillité; possibilité de rouler côte à côte et de converser; environnement naturel agréable.	Météo; souvent dans des zones isolées; terrain plus difficile; transport du vélo quasi obligatoire. 

Un peu d'éthique

C'est à tort que l'on attribue au vélo de montagne l'image d'un sport à risque, pratiqué à des vitesses extrêmement élevées. Les adeptes sont pour la plupart des parents avec leurs enfants, des amis sortant en groupe pour profiter du paysage, des amateurs d'activités de plein air ou des compétiteurs participant à des courses organisées.

Pour améliorer vos performances, participez à des épreuves organisées, car sur les chemins vous êtes dans un environnement non contrôlé, où il vous faut également être attentif aux besoins des autres.

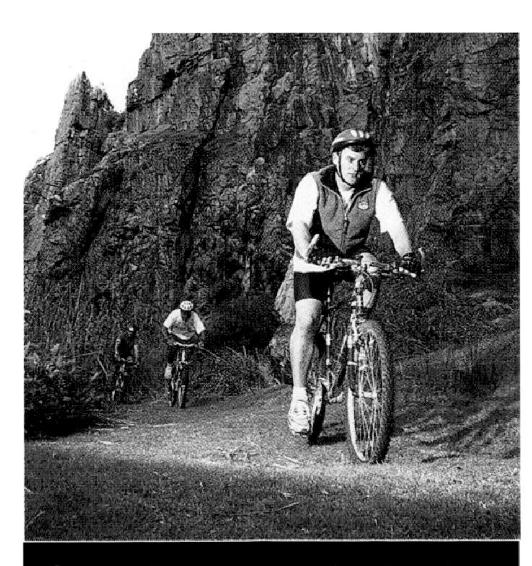

CI-DESSUS : Pour votre propre sécurité et votre tranquillité d'esprit, roulez en groupe plutôt que seul.
CI-CONTRE : Évaluez soigneusement l'état du chemin avant de vous y engager, en particulier si vous êtes seul.

Les chevaux sont des animaux craintifs et les randonneurs progressent à leur rythme : le passage d'un vélo à toute allure a donc toutes les chances de susciter une réaction de défense de la part des autres usagers des chemins.

Ajoutons à cela le fait que les espaces verts et les chemins sont trop peu nombreux à proximité des villes (ceux qui existent étant de ce fait bondés). On a donc créé un terrain propice aux conflits... Il faut donc que chacun y mette un peu du sien pour que la nature reste synonyme de liberté.

1. Roulez sur les chemins autorisés

Ne roulez pas sur les chemins interdits aux cyclistes. Si vous vous entraînez à piloter en descente, assurez-vous qu'il n'y a pas d'autres usagers sur le parcours.

Des sentiers de vélo de montagne

Le vélo de montagne compte un grand nombre d'adeptes au Québec. Il faut dire qu'avec la chaîne des Laurentides au nord du Saint-Laurent et celles des Appalaches au sud, les lieux propices à la pratique de ce sport sont nombreux ! On peut notamment s'y adonner dans le Parc national de la Jacques-Cartier, qui compte plus de 100 km de sentiers, de même qu'à Bromont dans les Cantons-de-l'Est ou encore au Mont-Sainte-Anne près de Québec, qui sont régulièrement les hôtes de compétitions fort courues par l'élite cycliste internationale.

Aménagement de sentiers

Par ailleurs, la fédération québécoise des sports cyclistes (FQSC) forme des guides qui peuvent encadrer des pratiquants du vélo de montagne dans le sentiers, et elle conseille les gestionnaires de centres en vue de l'aménagement de sentiers de vélo de montagne et sur la gestion d'un centre de vélode montagne. La fédération offre le *guide d'aménagement de sentiers de vélo de montagne*, une publication technique essentielle à l'aménagement de sentiers rédigée par des experts du vélo de montagne et de l'aménagement. Pour référence : www.fqsc.net ou 514-252-3071.

Le Code du pratiquant

Le vélo de montagne, c'est comme on veut ! Mais...

• Empruntez les chemins balisés pour votre sécurité et respectez le sens des itinéraires ;

• ne surestimez pas vos capacités et restez maître de votre vitesse ;

• soyez prudent et courtois lors de dépassements ou croisements de randonneurs car le piéton est prioritaire ;

• contrôlez l'état de votre vélo et prévoyez ravitaillement et accessoires de réparation ;

• si vous partez seul, laissez votre itinéraire ;

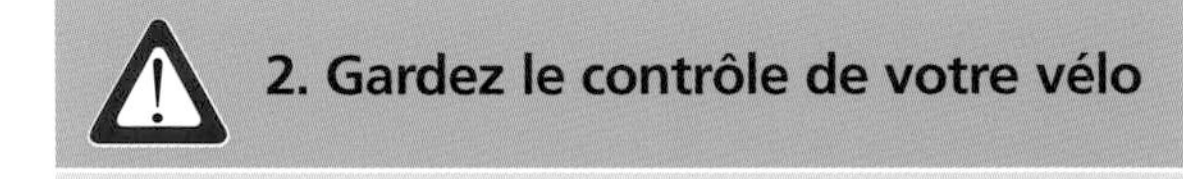

2. Gardez le contrôle de votre vélo

Ne roulez jamais vite sur un sentier passant. Roulez lentement, en maîtrisant votre vitesse, les descentes et le freinage. N'abordez jamais à vive allure un virage sans visibilité, sauf dans le cadre d'une compétition.

Sur les sentiers, les cyclistes doivent souvent partager leur environnement avec d'autres amateurs d'activités de plein air : soyez toujours prévenant.

3. Cédez toujours la priorité

Le vélo est silencieux et on peut facilement effrayer les autres usagers des sentiers. Mettez-vous au rythme du piéton ou du cavalier se trouvant devant vous et demandez la permission de passer. Une fois autorisé à doubler, attendez que le sentier s'élargisse et passez à vitesse modérée, en remerciant la ou les personnes de leur coopération.

4. N'effrayez pas les animaux

Respectez la faune et la flore, et soyez particulièrement prudent avec les animaux sauvages.

5. Ne laissez aucune trace

Gardez vos déchets et jetez-les une fois rentré chez vous. Soyez proactif : prévoyez un sac plastique pour ramasser les ordures que vous pourriez trouver en route. Lors d'une course, un emballage de barre énergétique peut vous disqualifier aussi bien qu'une crevaison. Évitez de rouler dans les sentiers après une forte pluie, car le terrain est boueux et il se forme des ornières au passage des pneus, qui se creusent et s'élargissent progressivement.

6. Regardez loin devant vous

Votre regard doit se porter loin devant vous, et jamais sur votre roue avant. Cela vous permet d'anticiper ce qui se passe sur le chemin.

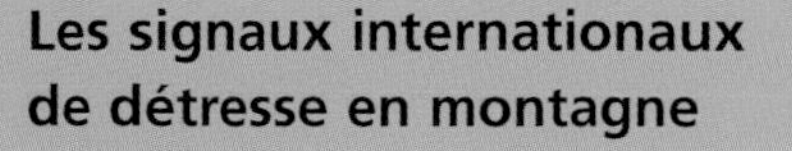

Les signaux internationaux de détresse en montagne

Pour guider les secours dans votre direction, voici les signaux internationaux (tels que les recommande l'IMBA) :

sifflet six coups
torche six flashs

Ces signaux sont suivis d'une minute de pause, puis d'une nouvelle série. La réponse est trois coups de sifflet ou trois flashs, répétés à une minute d'intervalle.

Respectez la nature en vous pliant à une simple discipline.

- respectez les propriétés privées et les cultures ;
- attention aux engins agricoles et forestiers ;
- refermez les barrières ;
- évitez la cueillette sauvage de fleurs, fruits... ;
- ne troublez pas la tranquillité des animaux sauvages.
- gardez vos détritus, soyez discret et respectueux de l'environnement ;
- soyez bien assuré.

Pour votre sécurité, munissez-vous d'une torche et d'un sifflet.

Le kit de survie

Longue distance (80 km)

- Carte routière ou topo
- Téléphone portable
- GPS ou boussole
- Miroir (ou lampe) pour guider les secours
- Éclairage vélo
- Allumettes
- Couverture de survie
- Coupe-vent étanche ou goretex
- Canif (ou couteau suisse)
- Sifflet
- Ration supplémentaire d'eau et de nourriture
- Pompe
- Chambre à air de secours
- Kit anticrevaison
- Démonte-pneus
- Clés Allen
- Dérive-chaîne
- Barres énergétiques
- Argent
- Papiers d'identité et renseignements médicaux
- Trousse à pharmacie

Courte distance (25 km)

- Téléphone portable
- Pompe
- Chambre à air de rechange
- Kit anticrevaison
- Démonte-pneus et clés Allen
- Dérive-chaîne
- Barres énergétiques
- Argent
- Papiers d'identité et renseignements médicaux

La nature offre de multiples aventures, mais elle peut également être imprévisible. Préparez-vous bien et faites appel à votre bon sens.

Le kit de survie ne doit pas seulement contenir vivres et eau, mais également de quoi faire face à d'éventuelles urgences.

PIÈGES ET DANGERS	Conseils de prudence
Animaux La plupart des animaux sauvages évitent toute activité humaine.	■ Approchez-vous avec prudence. Si un chien vous prend en chasse, mettez pied à terre et placez le vélo entre vous et l'animal. Dans les parcs naturels, sortez de préférence en groupe.
Agressions Les agresseurs et les voleurs sont toujours en quête de proies faciles.	■ Soyez vigilant, fiez-vous à votre intuition et évitez les rôdeurs. La nuit, ne roulez pas sur les sentiers sombres et isolés. Ne faites pas le même parcours tous les jours à la même heure. Pensez à signaler tout incident.
Obscurité Il est dangereux de rouler la nuit sans éclairage ni réflecteurs appropriés. Sur les sentiers, une visibilité réduite augmente le risque de s'égarer.	■ Ne partez pas sans connaître le temps requis pour effectuer un parcours. En hiver, le soleil se couchant plus tôt, laissez vos feux avant et arrière en permanence sur votre vélo. Portez des vêtements avec bandes réfléchissantes. Évitez de rouler seul, en particulier dans les zones peu sûres.
Blessures à la tête Ne roulez jamais sans casque. Un accident est vite arrivé.	■ Apprenez à tomber correctement, de façon à toucher le sol et à rouler plutôt que d'atterrir sur la tête. Les casques réduisent les dommages potentiels. Considérez votre casque comme une ceinture de sécurité.
Insectes Les insectes rendent le port de lunettes indispensable.	■ Selon la région où vous roulez, il peut être utile d'emporter un antihistaminique. Enduisez-vous de produit antimoustiques. Si vous notez des traces de morsure, consultez un médecin le plus vite possible.
Se perdre Étudiez bien votre itinéraire ! On se perd surtout dans les intempéries et en terrain inconnu.	■ Emportez toujours une boussole. Avancez toujours dans la même direction, sinon vous risquez de tourner en rond. Ne vous laissez pas distraire. Informez des amis ou votre famille de l'endroit où vous allez et de l'heure prévue de votre retour.
Problème technique Un vélo en mauvais état vous jouera forcément des tours.	■ Entretenez votre vélo. Ne roulez jamais sans outils ni pièces de rechange. Vérifiez que vous savez régler les problèmes de base sur votre vélo.
Trafic motorisé Les autres véhicules avec lequels vous partagez la route sont la principale menace pour votre sécurité.	■ Ne roulez pas sur la chaussée ! Empruntez les pistes cyclables, et restez vigilant. Roulez de manière défensive, et jamais agressive. Écartez-vous des voitures garées pour éviter d'être désarçonné brutalement par l'ouverture inopinée d'une portière.
Pilotage extrême Ne vous sentez pas obligé de passer un obstacle risqué.	■ En compétition, effectuez le circuit au préalable. Entraînez-vous sur des obstacles qui vous semblent difficiles à passer. Portez des vêtements de protection.
Sentiers isolés Ils comportent souvent des parcours longs et difficiles.	■ Annoncez où vous allez et quand vous entrerez. Familiarisez-vous avec le terrain et prenez des réserves en quantités suffisantes.
Végétation Épines, arbres couchés et branches saillantes : tels sont les pièges que tend la nature !	■ Participez à l'entretien des sentiers. Renforcez l'intérieur de vos pneus (bandes en Kevlar) s'il y a des épines dans votre région. Emportez une chambre à air de secours, un kit anticrevaison et une pompe. Regardez loin devant.
Temps Il peut changer brusquement, provoquant une perte du sens de l'orientation ou une hypothermie. Méfiez-vous également des orages.	■ Ne sortez pas si le temps est menaçant ou instable. Demandez conseil à une personne qui connaît la région et ses conditions météorologiques, et préparez-vous en conséquence. Roulez le matin pour éviter la chaleur de la journée.

Maux et blessures

Les blessures liées à la pratique du cyclisme peuvent être classées en deux catégories : les lésions traumatiques (lorsque le corps vient heurter le sol, un arbre ou un autre cycliste) et les lésions non traumatiques (en cas de sollicitation excessive des ligaments, muscles ou articulations). Ces accidents peuvent bien sûr survenir n'importe où. Les cyclistes qui règlent leur vélo correctement et adoptent de bonnes techniques de pilotage ne devraient subir que peu de lésions non traumatiques comparés à d'autres sportifs.

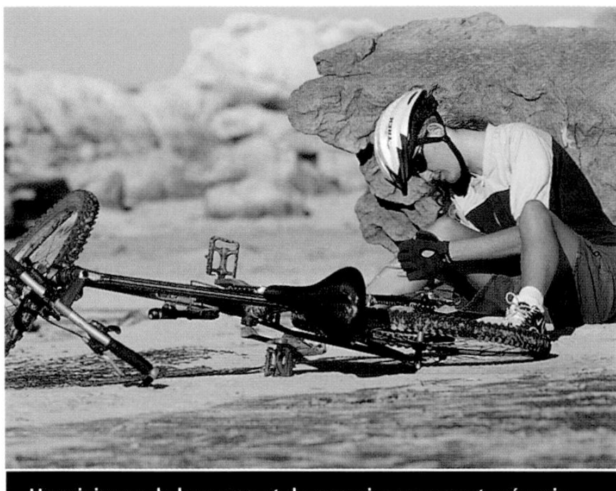

Un minimum de bon sens et de connaissances peut prévenir bien des accidents.

	Problème	Solution
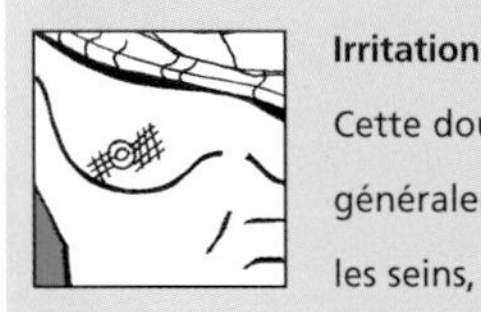	**Irritation** Cette douleur très désagréable concerne généralement l'aine, l'intérieur des cuisses, les seins, les pieds ou le cou.	■ Surveillez votre hygiène. Gardez votre matériel propre. Utilisez un savon et une lessive antibactériens. ■ Avant de rouler, enduisez les zones sensibles de vaseline. ■ Par temps chaud, portez des vêtements plus légers et plus amples.
	**Yeux** Vos yeux sont exposés à diverses menaces : lumière du soleil, insectes, végétation, poussière, pierres et boue.	■ Achetez deux paires de lunettes : l'une qui vous protège de la lumière du soleil, l'autre conçue pour les conditions de faible luminosité. Si vous ne pouvez pas porter de lunettes en raison des giclées de boue, tournez la tête sur le côté pour que l'un de vos yeux soit protégé par votre nez. ■ Équipez vos lunettes d'un cordon pour pouvoir les enlever (et les remettre) facilement lorsqu'elles sont embuées ou maculées de boue.
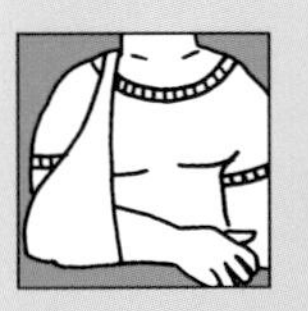	**Fractures** Une fracture se reconnaît aux symptômes suivants : enflure, douleur, immobilité et, dans le cas d'une fracture ouverte, protubérance de l'os. Chez les cyclistes, la fracture la plus fréquente est celle de la clavicule.	■ Prenez soin du blessé en attendant l'arrivée des secours. ■ Soyez attentif au moindre signe de choc et, en cas de fracture ouverte, couvrez la blessure avec un chiffon propre et bandez-la avec soin pour que la pression limite l'écoulement de sang. ■ Immobilisez le membre fracturé à l'aide d'une attelle.

	Problème	Solution
	**Maux de tête** Les maux de tête peuvent être causés par la déshydratation, un casque ou un bandeau trop serré. Par temps chaud et humide, un cycliste peut perdre jusqu'à 2 l d'eau par heure; or l'organisme ne peut en remplacer que 800 ml par heure. L'eau met une vingtaine de minutes pour atteindre une cellule.	■ En route – en particulier si vous transpirez –, buvez une boisson énergisante avec électrolytes (pour prévenir les crampes). Consultez un professionnel, qui vous suggérera peut-être un mélange de glucose, d'eau et d'une solution de réhydratation. ■ Après un parcours de plus de deux heures, buvez beaucoup et gardez une boisson énergétique près de votre lit. ■ Assurez-vous que votre bandeau vous va parfaitement et ne vous serre pas trop ! ■ Avant et après l'effort, buvez 1 l d'eau.
	**Blessures à la tête** Somnolence et perte de conscience, même passagères, doivent faire craindre une commotion cérébrale.	■ Ne laissez pas le blessé s'asseoir ni marcher. ■ Laissez-le en position allongée et couvrez-le : cela permet de conserver la chaleur du corps et réduit le risque de choc. ■ Ne donnez pas au blessé de sédatifs, d'analgésiques ou de stimulants. ■ Si vous devez le déplacer, faites-lui faire le moins de mouvements possible et maintenez-le en position horizontale.
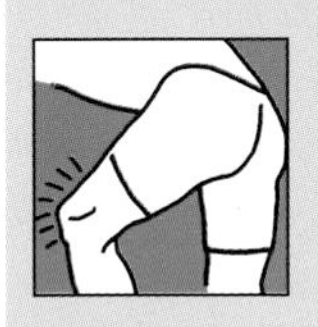	**Blessures au genou** Le cyclisme n'est pas traumatisant pour les genoux car c'est une activité portée (il n'y a donc aucun impact), qui n'étire pas le genou au-delà de son extension normale. Des études ont montré que 80 % des blessures au genou étaient liées à des erreurs commises par les pratiquants. Un vélo est parfaitement symétrique, le corps humain ne l'est pas, et toute partie dissymétrique (une jambe plus courte que l'autre) est davantage sollicitée. Sur un parcours de 2 heures, le genou effectue 10 000 flexions !	■ Ne forcez pas trop : n'utilisez pas de développements trop grands. ■ Échauffez-vous correctement. ■ Gardez vos genoux au chaud. Lorsqu'il fait froid, l'organisme envoie le sang au tronc, c'est-à-dire loin des articulations. ■ Portez des pantalons longs, des jambières ou des pantalons de type corsaire (au-dessous du genou). ■ Réglez votre selle à la bonne hauteur.
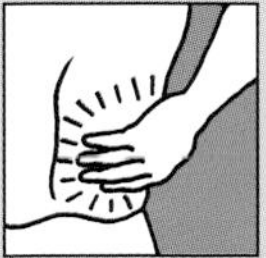	**Douleurs lombaires** Si vous n'avez pas roulé pendant un certain temps ou que vous n'avez pas l'habitude de rouler hors du bitume, vous aurez probablement des douleurs lombaires plus ou moins fortes, qui peuvent s'étendre aux jambes.	■ Plus vous roulez, plus les muscles dorsaux se développent. ■ La région lombaire est soutenue par les abdominaux de même que par les muscles dorsaux. Il importe donc de les renforcer au cours de vos séances d'entraînement. ■ Un vélo de montagne tout-suspendu de bonne qualité contribue à réduire les douleurs lombaires.

Problème	Solution
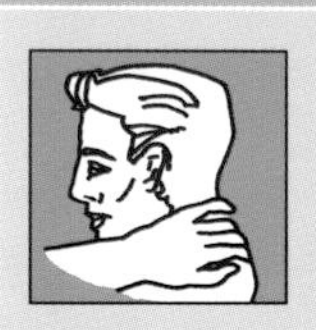 **Douleurs cervicales** Les vertèbres cervicales peuvent être très douloureuses lorsqu'on maintient le cou en extension sur de longues périodes – et c'est précisément ce qui se produit lorsqu'on fait du vélo.	■ Vérifiez votre position sur le vélo. Si vous raidissez le haut du corps, vos épaules seront voûtées et vos vertèbres cervicales tendues. Serrez moins fort le guidon. Laissez tomber vos coudes et vos épaules. Détendez-vous ! Gardez le haut de votre corps souple. ■ Faites-vous masser les muscles du cou ou prenez l'habitude de vous étirer tout en douceur. Un kinésithérapeute peut vous recommander des séries d'exercices. ■ Si la douleur persiste, le recours à la chiropraxie peut se révéler nécessaire : cette méthode thérapeutique vise à réaligner le cou.
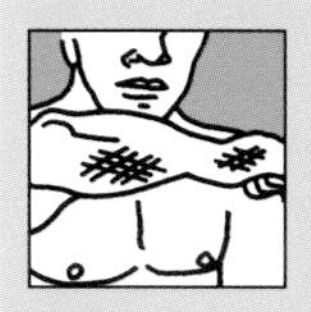 **Écorchures** La plupart des écorchures sont sans gravité, ne touchant que les capillaires et provoquant un écoulement de sang dans les tissus adjacents. Poussière, sable et autres corps étrangers peuvent toutefois provoquer une infection de la blessure.	■ Maintenez la partie écorchée en position horizontale pour limiter l'écoulement de sang. ■ Nettoyez l'écorchure, au besoin à l'aide d'un tampon. Appliquez un pansement sans serrer pour éviter que la blessure ne se salisse de nouveau. ■ Prévoyez au besoin une dose de sérum antitétanique.
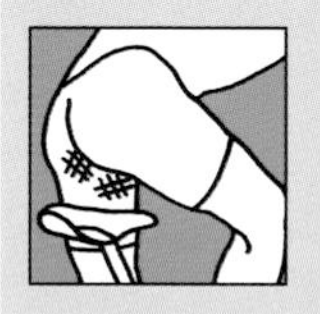 **Lésions cutanées à l'intérieur des cuisses** Les frottements et les pressions répétées entre la peau et la selle peuvent provoquer de petites coupures ainsi que de petites indurations. Infectées par la sueur, ces plaies suppurent, entraînant l'apparition de furoncles à l'intérieur des cuisses. Il est alors impossible d'enfourcher son vélo pendant un jour ou deux.	■ Assurez-vous que votre cuissard a une peau de chamois adaptée. *Voir* p. 18. ■ Achetez un cuissard de bonne qualité. Après une sortie, ôtez votre cuissard humide et collant de sueur, douchez-vous et enfilez des vêtements propres et secs. ■ Si vous avez un furoncle, laissez-le mûrir puis incisez-le et appliquez un antiseptique. Épilez la zone à la cire pour éliminer les poils susceptibles d'aggraver l'inflammation.
 **Coup de soleil** Ce terme générique désigne une inflammation et une lésion de l'épiderme causées par une exposition prolongée aux rayons du soleil. La peau rougit, se desquame et finit par peler. Le coup de soleil peut provoquer des douleurs, des démangeaisons, voire entraîner la formation de cloques.	■ Appliquez de la crème solaire sur le visage, les bras, le dos des mains, le cou et les oreilles, les jambes, les cuisses et les épaules. ■ Pour calmer la douleur, utilisez une lotion à la calamine ou de la glace. Appliquez régulièrement une bonne crème hydratante pour apaiser et hydrater les zones affectées.

Problème	Solution
Point de côté Cette douleur aiguë et soudaine est ressentie au niveau du diaphragme alors qu'il se soulève au niveau des côtes.	■ Assis sur la selle, ne vous penchez pas sur votre guidon. Tenez-vous droit, ouvrez votre cage thoracique : laissez à votre diaphragme la place pour se soulever. ■ Donnez à votre corps le temps de s'échauffer. Ménagez vos forces et n'essayez pas de rouler plus vite que vous n'en êtes capable.
 **Insolation** Le dysfonctionnement du mécanisme de régulation de la chaleur du corps provoque de dangereuses poussées de fièvre. L'insolation survient lorsque l'organisme ne peut plus réguler sa température par la transpiration. Les symptômes sont les suivants : peau chaude et sèche, céphalées, soif, nausées, somnolence et vertiges. La température monte à plus de 40 °C.	■ L'insolation est provoquée par une transpiration abondante et par une perte de sels. ■ Mettre le malade à l'abri de la chaleur, le dévêtir et l'enrouler dans un drap imbibé d'eau froide ou le placer dans un bain froid pour faire baisser sa température à 38 °C. ■ En présence de crampes musculaires, maux de tête, vomissements, vertiges, si la peau est blanche, froide et moite, que le pouls est rapide, que le malade s'évanouit, le mettre à l'abri de la chaleur, prendre sa température et son pouls et le déshabiller. ■ Si la personne est consciente, lui donner de l'eau additionnée de sel toutes les dix minutes pour la réhydrater.
Foulures, entorses Une lésion ligamentaire survient lorsqu'une articulation est soumise à un étirement brusque et excessif. Les fibres de l'articulation se rompent partiellement, provoquant une douleur puis une faiblesse de l'articulation elle-même. Le ligament peut aller jusqu'à se rompre totalement.	■ Pour réduire l'enflure, l'hémorragie et l'inflammation, quatre mots clés : repos, glace, compression et élévation. ■ Une crème anti-inflammatoire peut être nécessaire. ■ Des exercices exécutés doucement accélèrent le rétablissement et évitent une atrophie ou une raideur des muscles.
Poignets et mains Les douleurs aux poignets et aux mains sont causées par les vibrations transmises par les fourches. Rouler les bras tendus, trop serrer le guidon ou exercer une pression trop forte, ne pas changer ses mains de position peuvent également jouer. De même, des freins mal positionnés peuvent être à l'origine de douleurs dans les poignets (le poignet est « cassé » lorsqu'on place l'index et le majeur sur le levier du frein).	■ Optez pour des fourches à suspension ou pour une potence à suspension. ■ Vérifiez votre position de pilotage et le réglage de votre vélo : ajustez les leviers de frein de façon à pouvoir varier davantage la position de vos mains et assurez-vous que vos freins sont « en position d'attaque » (vos poignets doivent être dans le prolongement de vos bras lorsque vous placez l'index sur le levier de frein). ■ Achetez des gants confortables. ■ Lâchez le guidon de temps en temps et secouez vos mains pour rétablir la circulation du sang. Tenez le guidon avec la paume de la main.

Destinations exotiques

Des forêts vertes et luxuriantes aux plaines sèches et poussiéreuses, les nombreux circuits proposés sont une invitation à quitter la route.

En quête d'aventure

Trouver les meilleurs endroits où rouler fait partie de l'aventure.

Explorez !

Enfourchez votre vélo pour faire les courses et explorer les chemins. Familiarisez-vous avec les points de repère et, lorsque vous êtes à l'aise, prolongez vos parcours.

À la rencontre d'autres adeptes !

Établissez des contacts avec les pratiquants du coin. Les clubs de cyclisme et les vélocistes sont un bon point de départ pour dénicher de fervents adeptes !

Participez à des manifestations

Participez à une course. Il vous est proposé divers niveaux de compétition, alors ne vous laissez pas intimider par le mot « course ». En outre, il est motivant de rouler à plusieurs !

Les médias

On peut trouver le calendrier des manifestations et rassemblements de vélo de montagne dans les magazines de cyclisme et sur Internet.

De plus amples informations

Les offices du tourisme et les agences de voyages peuvent également vous fournir des renseignements sur la pratique du vélo de montagne dans leur région.

CI-DESSUS : Découvrez le vrai visage de l'Afrique et venez admirer de près ses animaux.

CI-CONTRE : De luxuriants vignobles sur fond de montagnes de grès. Derrière le guidon s'offre une perspective nouvelle.

Voyager avec votre vélo

«Je crois que je ne devrais jamais descendre de selle», dit Christopher. «Le vélo est le moyen de transport le plus civilisé que l'on connaisse. Les autres modes de transport sont de jour en jour plus cauchemardesques. Seul le vélo reste pur dans l'âme.»

Iris Murdoch,
The Red and the Green

Parfois, le voyage qui vous amène à votre destination est une aventure à lui seul. Bien que le vélo soit un moyen de transport en lui-même, la technologie offre aujourd'hui diverses options pour «servir de relais» – vous expédiant, vous et votre vélo, aux quatre coins de la planète.

En avion

Les conditions et les tarifs varient d'une compagnie à l'autre. Certaines grandes organisations cyclistes jouent de leur influence pour passer des accords avec des compagnies aériennes, aux termes desquels leurs membres peuvent transporter gratuitement leur vélo. Si vous ne faites pas partie de ce type d'association, voici une petite «leçon de vol»:

- Exigez un accord écrit avec la compagnie aérienne – et demandez un reçu pour tout paiement effectué. Cela vous facilitera la tâche au moment de vous présenter à l'enregistrement. Toutefois, c'est souvent au responsable de l'enregistrement de décider s'il accepte ou non un petit excédent de bagages sans supplément.
- Essayez d'obtenir un vol direct. Les escales augmentent les risques de perte de vos bagages. Les vols bon marché avec trois changements ne sont pas toujours les moins chers.
- Parfois, vous pouvez prendre les roues protégées d'une housse comme bagage à main. Elles seront en sûreté derrière la dernière rangée de sièges.
- Dégonflez les pneus et videz vos bidons à eau. Enveloppez le cadre dans du papier à bulles pour éviter que la peinture ne soit éraflée. Couvrez votre précieuse cargaison d'étiquettes «fragile». Investissez dans une housse renforcée pour vélo.
- Volez en classe affaires si vous voulez des réductions pour excédent de bagages, et devenez membre du programme de fidélisation proposé par la compagnie: on vous offrira ainsi davantage de privilèges.

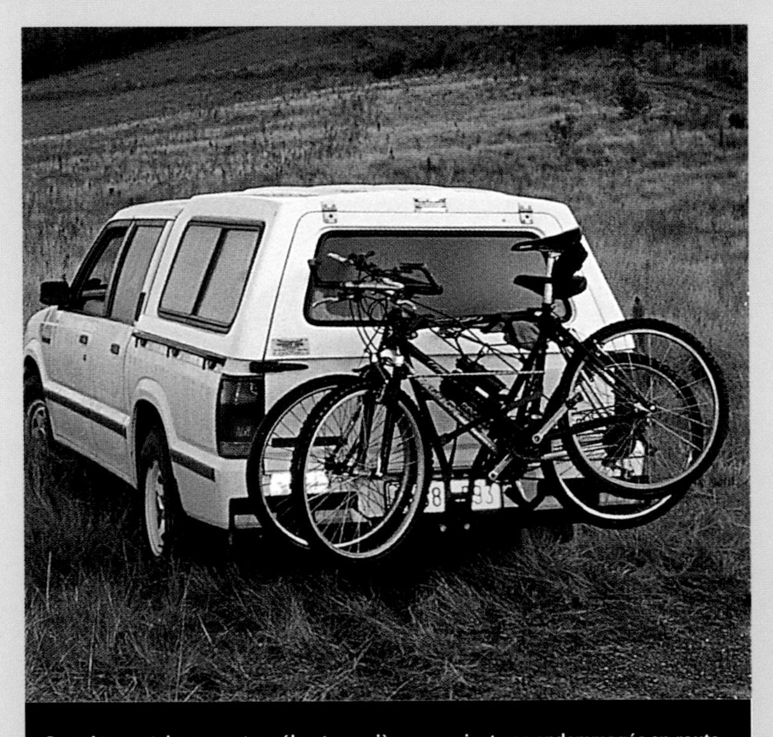

Pour être certain que votre vélo et ses pièces ne soient pas endommagés en route, investissez dans un porte-vélos fiable.

En voiture

Avoir sa propre voiture, c'est être libre d'aller où l'on veut, quand on veut. À vous de choisir la façon dont vous fixerez votre vélo sur votre véhicule: bien que de nombreux cyclistes inventifs conçoivent leur propre porte-vélos, divers modèles sont disponibles sur le marché. Adressez-vous à votre vélociste qui vous conseillera le porte-vélos le plus adapté.

En bus

Peu de pays proposent ce service. Le bus est équipé d'un porte-vélos à l'arrière, où l'on place son vélo avant d'aller prendre son billet. Dans les pays du tiers-monde, les vélos sont fixés sur le toit du bus ou sur (voire sous !) les bagages des autres passagers.

Dans les stations de ski : télésièges et télécabines

Les grandes stations de ski du monde entier offrent diverses activités à la fonte des neiges, et le vélo de montagne en fait souvent partie. Pourquoi vous embêter à pédaler jusqu'au sommet alors que vous pouvez y accéder par télésiège ou télécabine et passer la journée à dévaler les pentes ?

En train

Vous pouvez transporter votre vélo à bord des trains qui offrent un service d'enregistrement des bagages. Pour savoir si ce service est offert sur votre train, consultez le tableau sur les transport des bagages de Via Rail Canada, à http :/www.viarail.ca/planificateur/fr_plan_baga_volu.html. Attendez-vous à payer un supplément pour le transport de votre vélo.

Location de vélo de montagne

La qualité et le choix de vélos à louer varient en fonction de la demande. Il est souvent plus délicat de transporter son propre vélo à l'autre extrémité de la planète – sans parler des frais supplémentaires engendrés et des risques encourus. Louer du matériel est souvent la meilleure solution. Dans les pays dotés d'une culture du cyclisme – la majeure partie de l'Europe et l'amérique du nord –, on peut louer des remorques pour enfants, des vêtements et des accessoires. Prenez des dispositions avant de partir pour être sûr d'obtenir ce que vous voulez.

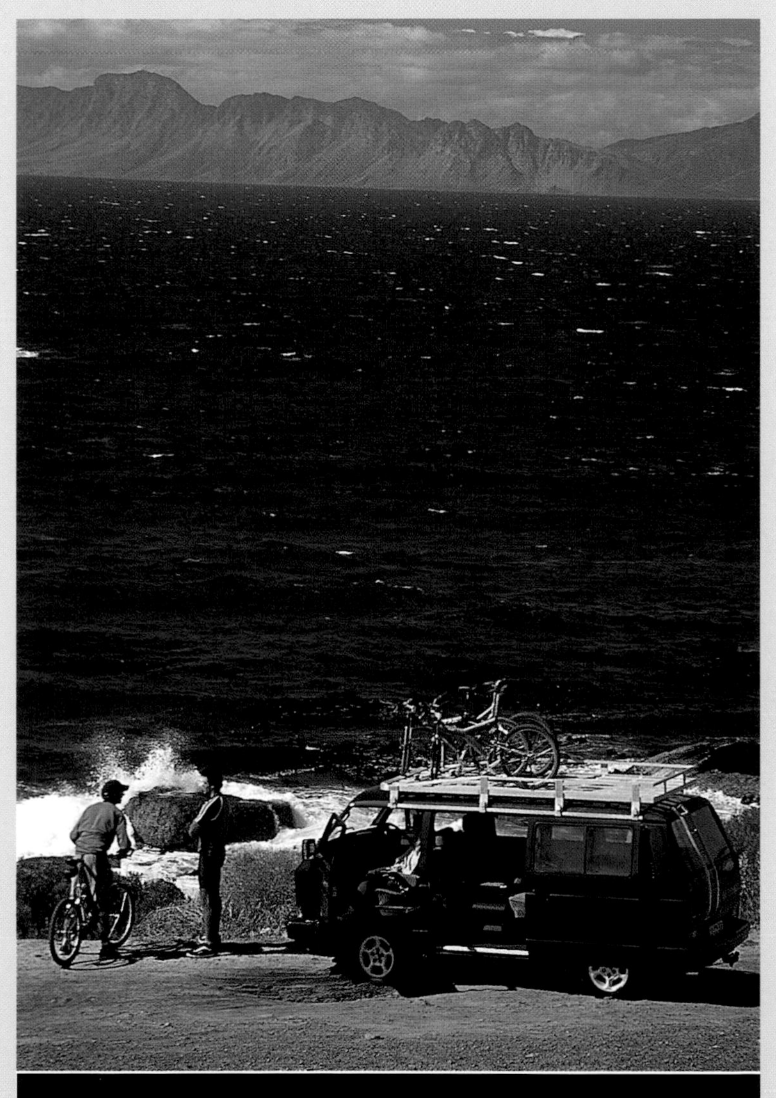

Les mordus de vélo de montagne réticents à l'idée d'emporter leur vélo avec eux en vacances peuvent choisir d'en louer un sur place. Le vélo de montagne ayant gagné en popularité, de nombreuses destinations proposent des services de location.

Des destinations de rêve

Toute la richesse du vélo de montagne se retrouve dans la recherche d'horizons nouveaux et de cultures différentes. Vous pouvez ainsi partir à la découverte de territoires montagneux ou désertiques en pédalant. Vous trouverez beaucoup d'idées de voyages en surfant sur le net, en contactant un club de vélo de montagne ou en consultant des revues spécialisées.

Quelques entreprises organisent ainsi des voyages exotiques pour les adeptes du vélo de montagne, par exemple Karavaniers (www.karavaniers.com), qui propose des séjours en Turquie, au Chili ou au Tibet. De quoi faire rêver !

Parmi les magazines, citons le périodique québécois Vélo Mag, édité par Vélo Québec, auquel on peut s'abonner par Internet (www.velo.qc.ca), ainsi que Vélo vert, accessible en ligne (www.velovert.fr), et Vélo 101, un autre magazine français de vélo en ligne (www.velo101.com).

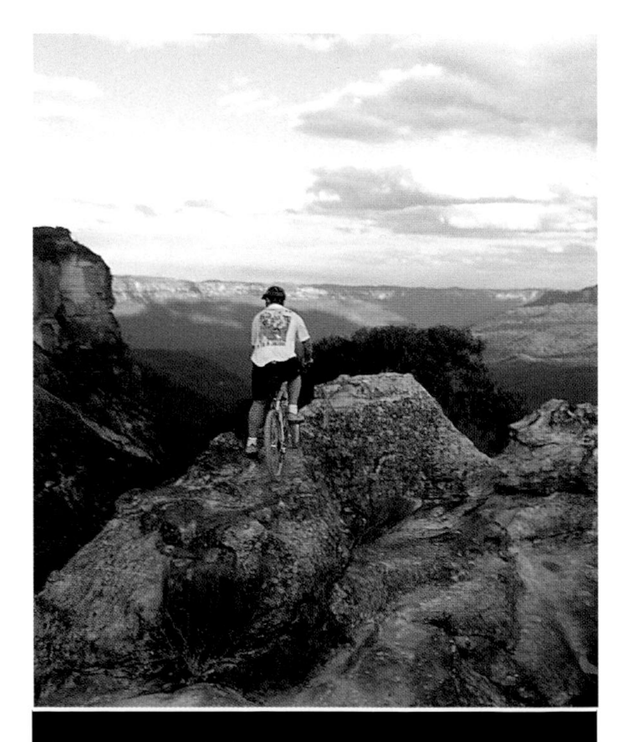

Les pentes escarpées des monts australiens sont un paradis pour les adeptes du vélo de montagne.

Prêt pour l'aventure ?

Enfin, un dernier conseil avant de vous lancer à l'assaut de l'Himalaya ou des Andes, commencez par vous renseigner auprès des clubs de vélo de montagne sur les possibilités dans votre région, au Canada et aux États-Unis. Ils vous feront découvrir des paysages de rêve à deux pas de chez vous. L'aventure est au coin de la rue... Vous pouvez trouver un club dans votre région en consultant le répertoire sur la Toile du Québec, à http://www.toile.com/quebec/Sports_et_loisirs/Sports/Velo/.

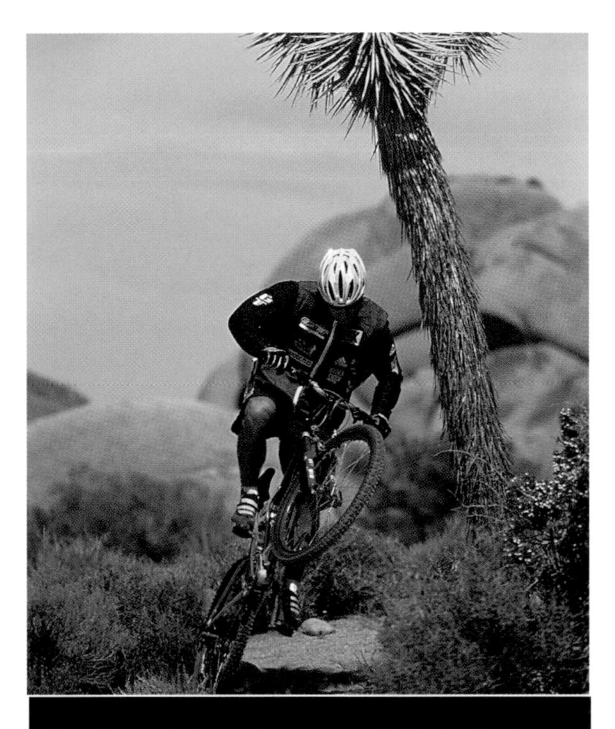

Du sable a perte de vue, des paysages désolés : les déserts américains offrent une infinité d'aventures.

Pour découvrir des sites exotiques, le vélo de montagne offre une agréable alternative aux modes de transport conventionnels.

Glossaire

Acide lactique Sous-produit d'un exercice anaérobie. Doit être éliminé, car gêne le travail musculaire.

Adrénaline (poussée d') Euphorie ressentie dans les moments d'excitation, lorsque le cerveau ordonne la sécrétion d'adrénaline dans l'organisme, laquelle entraîne une accélération du rythme cardiaque.

Aérobie Type d'effort où l'oxygène est présent en quantité suffisante pour permettre le processus du métabolisme.

Alliage Métal incorporant divers autres éléments, métalliques ou non.

Anaérobie Type d'effort effectué en dette d'oxygène. Correspond en général à un exercice en intensité très forte.

Bar-ends ou cornes de vache Embouts placés à chaque extrémité du cintre, permettant de varier les positions des mains et de détendre la partie supérieure du corps.

Braquets Rapports entre les plateaux et la roue libre en fonction du positionnement de la chaîne.

Butted Se dit d'un tube d'épaisseur variable (renforcé aux extrémités et allant en s'affinant vers le centre). Permet un gain de poids et augmente la vivacité du vélo.

Cadence Nombre de coups de pédale par minute.

Cale-pied Partie encastrée dans la semelle de la chaussure, s'enclenchant par une simple pression sur une pédale de type SPD.

Camelbak Sac à dos utile pour se désaltérer sans lâcher les mains du guidon.

Cantilever (freins) Système de freinage où les deux patins en caoutchouc viennent s'appliquer sur les bords de la jante. Implique un tirage angulaire avec un câble relais.

Catégorie Dans une course, ensemble des participants d'un même groupe de niveau.

Cintre relevé ou semi-relevé Modèle de cintre incurvé de part et d'autre de la potence pour plus de confort (et pour le « look »).

Cruiser Vélo popularisé par l'Américain Schwinn, reconnaissable à son tube supérieur de cadre en forme d'arc. Pratiqué surtout de façon occasionnelle.

Dérailleurs Mécanismes placés à l'avant ou à l'arrière et permettant la modification du braquet par le changement de pignon et/ou de plateau.

Empattement Distance entre l'axe des roues avant et l'axe des roues arrière.

Forgé à froid Les éléments ou composants forgés ou façonnés à froid offrent une meilleure résistance et un meilleur alignement des structures moléculaires.

Fourche à suspension Pièce mobile, spécialement conçue pour absorber les chocs.

Frameset Cadre assemblé, à l'exclusion des composants. Il peut être soudé, collé, vissé-collé ou monobloc.

Freins à disque Système de freinage dérivé de la moto actionné par un système hydraulique (ou mécanique) permettant un ralentissement optimisé par étriers, petits pistons, plaquettes et disques.

Fréquence cardiaque Nombre de pulsations cardiaques par minute. Souvent mesurée à l'aide d'un cardiofréquencemètre.

Géométrie du cadre Angles auxquels se coupent les différents tubes du vélo. Détermine son comportement, son rendement et sa maniabilité.

Goretex Matériau respirant et imperméable utilisé notamment par temps de pluie.

GPS Système de navigation par satellites. Il constitue une aide précieuse pour vous orienter.

Groupe Ensemble des accessoires à l'exclusion du cadre, des jantes, de la selle et du guidon.

Hardtail Triangle arrière rigide.

Hypoglycémie Manque de sucre dans l'effort pouvant entraîner une « panne ». Appelée « fringale » par les cyclistes.

Jeu de pédalier Ensemble comprenant axe et roulements, sur lequel viennent se fixer les manivelles. Se visse dans le boîtier de pédalier.

Manettes Systèmes permettant les changements de vitesse (pignons et plateaux).

Motricité Transmission de la force de vos jambes à la roue arrière, permettant la propulsion du vélo.

Peau de chamois Partie renforcée du cuissard, en cuir naturel ou matériau synthétique traité anti-bactérien.

Pédaler avec les oreilles Pédalage saccadé en facteur. Consiste à tirer et à pousser sur les pédales, plutôt que d'effectuer un mouvement circulaire.

Pédales plate-forme Pédales plates standards.

Pignons Disques métalliques assemblés sur une cassette, elle-même fixée sur la roue libre, sur lesquels passe la chaîne, entraînant la roue arrière.

Plateaux Roues dentées fixées sur la manivelle droite, restituant le pédalage à la chaîne.

Poste de pédalage Selle et tige de selle.

Poste de pilotage Guidon (cintre et potence).

Puissance Combinaison de force et de vitesse.

Qualifications Épreuves de présélection (en général, compétition de descente).

Rayonnage croisé Configuration dans laquelle chaque rayon croise trois autres rayons du moyeu à la jante.

Rayonnage droit (radial) Type de rayon-nage dans lequel les rayons partent du moyeu et ne se croisent en aucun point. Utilisé en général uniquement sur la roue avant.

Reconnaissance du circuit Inspection d'un parcours de cross-country ou de descente, effectué à pied, pour décider du pilotage à adopter et des trajectoires à suivre.

Roue 26 pouces Diamètre standard des pneus de vélo de montagne (1 pouce = 2,54 cm).

Run Terme utilisé pour les séries en descente.

Sacoches de randonnée Fixées de part et d'autre du vélo, elles s'utilisent pour les raids.

Semi-rigide Vélo de montagne dépourvu de suspension à l'arrière, doté parfois d'une fourche suspendue à l'avant.

Serre-fil Lors d'une sortie, se forment inévitablement des groupes rassemblant des cyclistes de même niveau. Le serre-fil (apte à jouer le rôle de meneur) reste volontairement derrière pour « faire le balai » et motiver les derniers.

Slick Pneu lisse de 26 pouces permettant un entraînement routier.

SPD Système de pédales automatiques créé par Shimano.

Spinning Technique américaine pratiquée sur vélo fixe et impliquant des cadences de pédalage très élevées (plus de 100 tours de pédale par minute).

Toe in Position d'attaque des patins de frein par rapport aux jantes.

Tout-suspendu Vélo de montagne très confortable, au rendement optimisé, permettant une pratique plus libre.

Transmission Ensemble des accessoires qui transmettent la force des pédales à la roue arrière.

Tube vertical Tube dans lequel vient se loger la tige de selle.

V-brake (freins) Système dérivé du frein Cantiveler, où le freinage se fait non à tirage central, comme sur les freins Cantilever classiques, mais à tirage latéral.

Vitesse Le nombre de vitesses d'un vélo correspond au nombre de pignons de la cassette arrière. Sur un 7 vitesses, par exemple, la cassette arrière comporte 7 pignons.

VTC (vélo tout-chemin) Modèle hybride, à mi-chemin entre le vélo de montagne et le vélo de route, conçu pour la ville et pour les cyclistes roulant de manière occasionnelle, désireux de faire l'expérience des deux disciplines en roue de 700 mm.

Wheeling Rouler sur la roue arrière en maintenant son équilibre (frein arrière, pédalage).

Index

Crédits photographiques

Atra corporation: p. 8 bas; **Bob Allen**: couverture, p. 8 haut gauche, 10, 23 bas, 39, 46 bas, 91 haut; **Sergio Ballivan**: p. 6, 38 haut; **Roger Brown**: p. 22, 25, 34 haut, 91 bas; **Cannondale**: p. 12, 13, 16 bas, 68, 86 haut; **Roger de la Harpe/Africa Imagery**: p. 86 bas; **Ronny Kiaulehn**: p. 19 ; **Jacques Marais**: p. 42, 61; **Tandem Association/Abraham Patrick et Faivre Hervé**: p. 86 haut.

Autres titres sports et loisirs

Collection en mouvement

Golf,
Mark Wood

Skateboard,
Ben Powell

Collection Sport aventure

Plongée sous-marine,
Jack Jackson

Snowboard,
Greg Golman

Collection Sports extrêmes

Skateboard,
Ben Powell

Planche à neige,
Matt Barr et Chris Moran

Patin à roues alignées,
Steve Glidewell

Vélo de montagne,
Ian Osborne

Santé et bien-être

À vélo 7 semaines pour être en forme,
Chris Sidwells

Bodybuilding pour débutants,
Grant Griffiths

Le ballon exerciseur,
Elizabeth Gillies

Le guide de la mise en forme,
Ann Goodsell

Marcher pour être en forme,
Nina Barough

Pilates,
Alycea Ungaro

Stretching,
Suzanne Martin

Taï chi,
Tricia Yu

Tonifiez en douceur chaque muscles de votre corps,
Joan Pagano

Série GO (livre et DVD)

Escalade,
Nigel Shepherd

Golf,
Gavin Newsham

Tennis,
Rolf Flichtbeil

Voile,
Steve Sleight

Sports et loisirs

Améliorer votre billard,
Duncan Steer

Étiquette et règles de golf pour tous,
Pierre Allard

Golf pour jeune,
Nick Wright

Golf manuel d'instruction,
Steve Newell

Guide des parcours canotables du Québec,
La Fédération québécoise du canot et du kayak

Guide des sites de plongée du Québec,
Louis Giguère

Hockey comment jouer comme les pros
Sean Rossiter et Paul Carson

L'aviron qui nous mène,
Bill Mason

Le guide du golf pour femme,
Vivien Saunders

Manuel technique du kayak de mer,
Dany Coulombe

Manuel technique du taekwondo,
Gilles R. Savoie